D1232987

La collection
ROMANICHELS
est dirigée par
André Vanasse

Les Épervières

La publication de cet ouvrage a été rendue possible grâce à l'aide
financière du ministère des Communications du Canada,
du Conseil des Arts du Canada et du ministère de
la Culture et des Communications du Québec.

1781, rue Saint-Hubert
Montréal (Québec)
H2L 3Z1
Téléphone : 514.525.21.70
Télécopieur : 514.525.75.37

Dépôt légal : 4e trimestre 1996
Bibliothèque nationale du Canada
Bibliothèque nationale du Québec
ISBN 2-89261-182-2

Distribution en librairie :
Dimedia inc.
539, boulevard Lebeau
Ville Saint-Laurent (Québec)
H4N 1S2
Téléphone : 514.336.39.41
Télécopieur : 514.331.39.16

Conception typographique et montage : Édiscript enr.
Maquette de la couverture : Zirval Design
Illustration de la couverture : Gustav Klint, *L'arbre de vie*,
v. 1905-1909
Photographies intérieures : Détail de l'œuvre de couverture

André Brochu

Les Épervières

roman

Romanichels

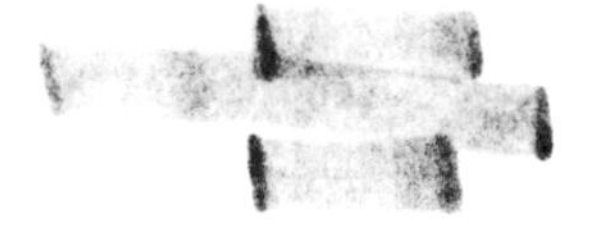

Première partie

1

Chaque maison est une énigme. Elle renferme une part plus ou moins opaque d'inconnu. C'est souvent une odeur, et une particulière qualité de l'ombre, et la rumeur de voix ou de rires, de chansons et de cris ; c'est le bruissement d'une vie multiple. Ces éléments, mille autres riens, composent la tonalité propre de chaque lieu habité. Des toits lourds ou discrets, fondamentalement noirs d'asphalte ou de goudron, mais teintés de bleu, de rouge, de vert ou de gris s'égrenant, des masses de briques ou de bois que percent des fenêtres mal ouvertes sur la lividité des intérieurs, forment les cellules de vies bien étanches, vies à quelques-uns, parfois vies seules, sous le dais tranquille des vieux arbres.

Dans les maisons, il y a des êtres protégés, libres, qui s'affairent à l'écoulement de leur existence en de menues occupations car c'est ailleurs, dans les bureaux, les usines, qu'ils gagnent le droit de subsister et d'être heureux. Les maisons sont là pour ce qu'il leur reste de temps et pour le plaisir. On y fait la cuisine, la vaisselle et l'amour, et on y élève quelques candidats à la vie future, qui fonderont à leur tour un foyer. Les maisons procréent d'autres maisons, d'autres sanctuaires dédiés à la sainte vie familiale ou à l'égoïsme ou à la culture des joies et des haines de couple. Les maisons, c'est beau. C'est propre, ça fleure la propriété bien tempérée. On y vit, on y meurt. On y attend aussi que le temps passe, transparent, interminable. Si le temps cessait de passer, s'il cessait tout court, les matières disparaîtraient aussi, ne laissant pas même un souvenir.

Mais il y a d'autres maisons, très rares, où le temps stagne. Ce sont les domiciles de la pauvreté débridée. Ils ne sollicitent pas l'attention émue du passant, mais aiguisent et rebutent tout à la fois la curiosité. Délabrement, ordure. De grosses familles, en général, y bourdonnent. Ils transforment parfois de jolis coins, agrémentés d'arbres et d'eau, en sorte de latrines. Telle est la maison des Tourangeau. Bleue, énorme, bossue, elle s'élève à mi-pente entre la rue et l'eau.

Voici la rivière. Au pied du terrain, le courant remonte en un vaste mouvement qui s'arrondit plus loin pour former un grand remous. Lucie Tourangeau est très fière de ce rebroussement. Elle qui n'a rien, elle a tout de même cette charité de l'aval renversé en amont. De l'autre côté, sur l'île Jésus, elle voit des résidences cossues perdues dans les feuillages, des pelouses qui dévalent jusqu'aux clapotis des rapides, et elle se dit que, là-bas, l'eau coule dans le sens canonique, de sud-ouest en nord-est. Les riches d'en face peuvent lui envier son courant.

Il y a aussi le gouffre, vingt-cinq mètres de profondeur à une faible distance du bord, de quoi empiler plusieurs maisons l'une par-dessus l'autre. Quand elle nage, Lucie Tourangeau s'arrête, debout, juste au-dessus et elle écoute, dans son gouffre à elle, le silence d'en bas. Elle communie, par la chair et le sang, avec le lit de pierre du fond, elle urine longuement dans l'eau noire, tout l'exauce.

Cette charité, puis la charité publique. Lucie Tourangeau est une pauvre bien entourée. À contre-courant des modes et des conforts, elle trouve sans peine à nourrir et vêtir ses neuf enfants, à leur donner un air d'hier en plein aujourd'hui, mais un grand air, toujours pétant la santé, la grande erre aussi. L'erre d'aller, libre, en territoire rassis, taquiner les convenances. Les Tourangeau, malgré la sollicitude publique dont ils jouissent, sont une tribu redoutée. Gentils, certes ! Avec un beau parler — du reste, complètement pourri par l'incurie, mais parsemé de tournures inhabituelles le fleurissant sur les bords —, des manières ayant d'abrupts biais de grande éducation ; et puis, l'absence complète et profonde, spontanée, irréparable d'allure, héritée de la mère, la Lucie dont le seul nom fait dire « Ah ! » à ses paisibles concitoyens.

Ah ! Cette grande bringue, hollandaise par le père, mohawk par la mère, cette tour à maternités, dont les idées font rire et grincer des dents, vraiment la sans-allure dans ses grandes robes fripées !

Elle habite, au bord de l'eau, avec sa ribambelle de gars et de filles, une maison à deux logements qui a dû déjà avoir son charme, sous les frênes cinquantenaires.

Maintenant, c'est fini car, à eux dix, les occupants ont eu tôt fait de la mettre à leur convenance. La prise de possession de ce gîte inespéré, il y a trois ans, à la suite d'une intercession conjointe du maire et du curé, s'est matérialisée par divers actes d'appropriation qui ont laissé des traces spectaculaires. Notamment, le terrain devant la maison est jonché de débris de toutes sortes et de toutes dimensions, portes de chambre arrachées, volets égaillés, vieilles fenêtres dont Fernand, l'enfant violent, a fracassé les vitres et qu'on a remplacées par du contreplaqué; sans compter les prélèvements de richesses extérieures, pneus, enjoliveurs, pancartes routières ramassées au cours d'équipées enthousiastes, et qui sont devenus des éléments permanents du paysage domestique. La propriété a rapidement mérité le titre peu enviable de « soue à cochons », décerné d'une commune voix par le voisinage, et la valeur des maisons adjacentes a chuté d'effarante façon. Pour ajouter à la disgrâce, les canalisations d'eaux usées et la fosse septique se sont avérées insuffisantes et un ruisseau s'écoule à ciel ouvert en direction de la rivière, dispensant à tous vents microbes et odeurs. « Ça sent les Tourangeau ! » se plaignent les nez fins des alentours quand la brise brasse les exhalaisons. La Lucie a consciencieusement alerté la Ville, mais son impécuniosité la met à l'abri des décisions rapides.

Une brave femme, en somme, cette Lucie, courageuse, aimable, généreuse, et même belle femme, malgré la menace de flétrissement rapide, habituel chez les Amérindiennes. Mais on comprend son mari, si bohème lui-même, de l'avoir plantée là et d'être allé vivre en ville, dans son atelier de la rue Saint-Paul où il fabrique d'énormes animaux en peluche tous plus fantaisistes les uns que les autres. Là, il se console d'avoir perdu, au profit de ses rejetons, la première place auprès de celle qu'il considère toujours, à distance, comme la reine de son cœur et qui, jusqu'à une date assez récente, n'en finissait pas de peupler le monde d'existences nouvelles, tirées de ses entrailles, comme si la vie culminait pour elle dans l'acte d'accoucher.

Elle a eu sept enfants, tous beaux, pleins d'élan bien que la santé, malgré les apparences, manque parfois. Cela produit des maladies vigoureuses, pneumonies doubles ou scarlatines excessives, qui mènent le sujet au bord du tombeau. Trois jours après la visite du curé, le moribond patauge de nouveau dans les flaques.

Sept enfants. Mais comme les voisins d'en face sont partis sans laisser d'adresse ni rien d'autre que leurs deux marmots affamés, Lucie, n'écoutant que son bon cœur et sa passion pour les existences jeunes, les a sur-le-champ intégrés à sa tribu. Ce sont une fillette et un tout petit chenapan, touchants à ravir, qu'elle s'est bien promis de remplumer et de choyer au point de leur faire oublier leur existence d'enfants martyrs. Minuscules à côté de leurs nouveaux frères et sœurs, Corinne et Stéphane exercent auprès d'eux un magistère remarquable, tout en subtilité, et leur font faire de grands progrès en matière de vice et de dissimulation.

Un après-midi, suivant un scénario sournois de Stéphane, Fernand (le violent) et Bernadette, la petite dernière, se sont emparés en catimini des magiques bocaux que Lucie conserve dans la grande armoire de sa chambre et qu'elle utilise pour ses tournées. Les récipients contiennent des fœtus à différents stades de leur développement. Jamais il ne serait venu à l'idée d'un petit Tourangeau de faire ainsi main basse, pour s'amuser, sur les trésors maternels. Il faut convenir que, en l'occurrence, ceux-ci représentent un potentiel de divertissement considérable. Ces existences stoppées, tassées dans leur petite prison de verre, rendent presque visible l'âme même, laquelle ne fait qu'un avec les fins doigts articulés comme des pattes d'araignée, avec surtout le visage d'extraterrestre qui semble méditer sur l'inconséquence des décisions humaines. Lucie explique, à partir d'eux, que la Vie est préférable à tout et que la pauvreté, dont elle est elle-même un bel exemple, ne justifiera jamais cette hécatombe de petites existences innocentes à laquelle se livre la barbarie moderne. Militante depuis deux ans au sein du mouvement Pro-Vie, Lucie a trouvé dans cette cause un puissant moyen de valorisation personnelle et l'occasion de s'évader un peu de ses tâches quotidiennes. Grâce à ses dispositions pour l'action humanitaire, elle déploie, en dehors de son milieu immédiat qui ne la prendrait guère au sérieux — nul n'est prophète en son pays ! —, un apostolat ruisselant de mots sonores et de gestes pathétiques. Les petits paquets de chair délavée, en suspension dans le formol, obtiennent toujours un franc succès, surtout auprès des enfants qui posent des questions savoureuses, le plus souvent en rapport avec leurs héros de dessins animés. L'imaginaire contemporain, dans l'élaboration de ses physionomies les plus typiques, fait grand usage de l'esthétique intra-utérine.

Les bras chargés des précieux bocaux, Fernand et Babette (ainsi appelle-t-on couramment la benjamine) ont rasé le mur de la maison qui donne du côté de la haie et se sont réfugiés dans l'ancien trou à ordures, maintenant hérissé d'épervières, où les attendaient Stéphane et Corinne. Là, Fernand stipule bien qu'il faut prendre des précautions pour ne rien briser, car ce serait la catastrophe. On se contentera de regarder et de jouer à l'avorteur, sans toucher à rien. Lucie a souvent évoqué devant ses enfants les horreurs de l'intervention diabolique, espérant leur inculquer par là un solide respect de la vie. Stéphane, qui a imaginé le divertissement et fixé la distribution, personnifie le fœtus. Il s'est installé entre les jambes de Babette, plus jeune que lui mais aussi grande et deux fois plus grosse, une vraie géante de cinq ans ; Fernand doit l'*extraire*, grâce à un siphon formé d'un bout de tuyau d'arrosage. Corinne sert d'infirmière. La séquence des actes semble complète et on jubile beaucoup à l'idée de son exécution. Fernand bouffonne assez bruyamment, fier de son rôle d'exterminateur. En fait, le robuste garçon n'aime guère Stéphane dont il méprise l'intelligence et l'habileté — armes des faibles ! Inconsciemment, il lui reproche surtout la place qu'il a prise, avec sa sœur, dans le cœur de Lucie. La saynète qu'ils vont jouer lui permet de reprendre le dessus et d'éliminer fictivement un secret rival.

— Fernand, tais-toi ! Tu vas nous faire prendre, dit Corinne. Cesse tes niaiseries et fais le docteur. Moi, je vais te passer le siphon. Vous êtes prêts, vous autres ?

Babette grogne son assentiment. Malgré son âge, la fillette ne parle guère et se contente le plus souvent de pouffer ou d'émettre des sons sans signification précise. La tête de Stéphane sur son ventre la rend hilare. Elle comprend qu'elle est la mère et que ce gros bébé va glisser d'elle, aspiré par un petit tube. Ça n'est pas vrai, mais c'est bien drôle.

— Ça y est, dit Fernand, on commence. Garde Corinne, passe-moi le tube.

— Voilà, docteur.

Le serpent de plastique vert passe des mains de Corinne à celles de Fernand qui, d'abord, ne sait trop qu'en faire. Ensuite il tend une de ses extrémités vers l'un des bocaux et applique l'autre sur le nombril de Stéphane. Celui-ci frémit sous le contact, puis il se raidit, semble se ramasser au maximum, devient encore plus petit que nature et, tout en émettant un drôle de chuintement entre ses lèvres, il quitte peu à peu sa position entre les jambes de Babette, qui est secouée d'un gros rire, et se déplace vers les bocaux inondés de soleil.

— On dirait un cornichon, dit Fernand qui ne peut soutenir son rôle devant un spectacle aussi crevant.

— Ferme-la ! proteste Corinne. Tu vas tout faire rater.

Par de petits mouvements des pieds et des fesses, Stéphane poursuit sa progression vers les bocaux sans se départir de l'air douloureux qu'il a adopté dès le début pour jouer l'enfant expulsé. À un moment donné, cependant, il s'arrête et s'exclame :

— Tabaslaque ! Il faut tout recommencer. J'ai oublié le principal.

— Qu'est-ce que c'est ?

— Un bébé qu'on décroche, ça ne vient pas tout seul, non ? Ça doit se débattre un peu, faire des manières !

La dernière expression fait rire Corinne, qui la comprend. Fernand et Babette rient aussi, avec du retard.

— Nous recommençons et toi, Babette, serre-moi un peu avec tes jambes, comme si tu ne voulais pas me laisser partir. Hé ! pas si fort, maudite sauvage ! Tu m'étouffes ! Toi, le docteur, reste dans ton rôle sinon je te fais avaler tes cornichons.

À un observateur extérieur, cette menace de David à Goliath paraîtrait singulière.

Ils s'exécutent à nouveau. La tête sur le giron de la fillette, Stéphane se tord un bon moment comme s'il était tiraillé en divers sens, pendant que sa maman fictive glousse de joie. Fernand, excité, danse devant les deux corps et, trop absorbé, finit par mouiller sa culotte. Quand il s'en rend compte, il éclate de rire.

— Hé ! j'ai pissé dans ma culotte !

Les autres abandonnent aussitôt leur mise en scène, et une bruyante hilarité s'empare d'eux. Fernand est heureux d'être devenu le clou du spectacle. Il tord des deux mains le tissu mouillé, esquisse des gestes grotesques, fait parade de sa grosse gaieté. Puis, comme il finit par soupçonner à son égard quelque moquerie sous-jacente, il change du tout au tout de contenance et, rageur, il envoie valser les bocaux à grands coups de pied. L'un d'eux se brise et son contenu roule dans l'herbe.

Cela met fin, bien entendu, à la partie de plaisir. Alertée par les cris, Lucie survient là-dessus. Émotionnée comme si elle avait perdu un enfant, elle fait une bruyante démonstration de désespoir et lève même la main sur Fernand, qui se défend par une crise dans le grand style. Stéphane et Corinne, qui passent facilement inaperçus au milieu des autres et qui bénéficient d'une indulgence spéciale de la part de leur mère adoptive, se font plus discrets que jamais et gardent aux lèvres un mince sourire d'enfants sages. Fernand a beau les dénoncer, tous se retournent contre lui et il fait entendre d'excessifs braillements.

Avant la fermeture des magasins, Lucie, complètement hors d'elle, court faire l'achat d'un cadenas, bien décidée à conserver désormais ses précieux bocaux à l'abri des curiosités profanes. Une fois de retour, elle est néanmoins gagnée par la crainte d'égarer la clé — elle a si peu l'habitude de ces petites choses de métal, elle pour qui une maison ouverte à tout venant est un gage de vie heureuse — et elle se résout à la laisser sur son meuble de chevet, où elle se promet bien d'en vérifier fréquemment la présence.

2

Quelques jours ont passé.

Par un chaud matin — un matin de juillet 1983, où le mercure atteint déjà les vingt-cinq degrés —, Étienne, le fils aîné, s'éveille marabout. La fenêtre sans store laisse entrer l'épaisse clarté du jour. Elle devrait lui communiquer l'ardeur du jeune été et lui inspirer des pensées de confiance. Mais la confiance boude, en robe de pauvresse. Tout dort autour. Gervais, à ses côtés, s'étale complètement nu et il ronfle, innocent, sous l'essaim des rêves. Ses cheveux carotte, son faux air de fille font de lui, à seize ans, un garnement plein de charme, elfe ambigu tout en crépitements comme une allumette qu'on enflamme. Étienne a souvent cédé à ses caresses harcelantes, simplement pour le jeu, pour le choc des chairs et l'affûtage du désir, mais ce matin, devant ce corps qui bat comme un cœur sous le poing chaud du jour, il songe amèrement à la pureté impossible, à cette vie des pauvres qui doit se satisfaire de joies immédiates et qui s'interdit tout avenir.

L'avenir… Il a dix-huit ans, Étienne, et il voudrait gagner sa vie, mais comment? Comment faire? Il faudrait d'abord faire entendre raison à la Lucie qui, chaque fois qu'il parle de se trouver un emploi, se pend après lui pour l'en dissuader, lui inoculer dans tout le corps le doux poison de l'incurie, le retient auprès d'elle comme un chevalier servant. Elle lui serine que c'est bien ainsi; que s'il a des revenus, elle ne pourra plus rien retirer du bien-être social et leur situation financière en sera compromise. Toujours la même chanson, la même douce chanson pleine de mots qui pleurent, qui caressent. Ses grands yeux à elle dans ses yeux à lui; ses yeux de mère immensément bruns comme un ciel de folie. Il s'y perd, il n'a jamais su tenir bon contre cette sollicitude. Mais que gagne-t-elle à les garder autour d'elle, cousus à ses jupes, mâles creux sous leur teint florissant et femelles rampantes?

Un jour, il faudra bien qu'il brise là, qu'il prenne son envol, quitte à aller s'écraser plus loin. Son père n'a-t-il pas fui l'énervante douceur, la chanson pleine de lait et de miel? Ah! se rendre auprès de lui, vivre sous sa protection… Ouais! On ne quitte pas un nid pour un autre, et, du reste, Étienne n'est pas sûr qu'il gagnerait au change.

Son père, quel pantin! Derrière ses révoltes, son dur visage de refus, la petite âme bat comme un papillon, toujours prête à fuir. On l'appelait Chonchon, dans le village, depuis sa première enfance, le nom lui est resté. Étienne ne peut l'entendre sans frémir, comme s'il avait un père de dentelle et de papier mâché plutôt que la bonne brute habituelle dont se plaignaient ses camarades de l'école. Un père fantaisiste, poète, ivrogne par surcroît, qui fabrique des rêves de peluche pour les enfants bien torchés de la classe montante. Chaque année, les journaux font un reportage sur cet artisan si original, à l'imagination époustouflante. « CHIMÈRES SIGNÉES CHONCHON. » Pas un seul de ces monstres douillets, à la laideur si sympathique, n'a réchauffé la solitude des propres enfants du magicien, qui n'arborait à la maison que sa face de pleutre.

Étienne regarde. Autour de lui, c'est l'amoncellement familier. Tout gît pêle-mêle, vêtements, chaussures, comics défraîchis, cent fois relus ; vaisselle sale, aux formes et aux couleurs les plus diverses, qui désespère de retrouver un jour le chemin du lavabo. Tout cela est incroyablement malpropre, comme si la poussière accumulée depuis trois ans se mêlait aux étoffes, aux objets et leur communiquait ses qualités colloïdales. Étienne promène son regard sur le gris des choses, violemment accusé par le soleil malgré la saleté des vitres, et il descend dans sa tristesse, vite submergé par le sentiment de son impuissance. Que faire contre la mauvaise volonté souriante, inconsciente de toute une maison ?

Il se lève, cherche en vain des sous-vêtements propres autour de lui, enfile son jean et un maillot. Puis il revient vers le lit où ronfle toujours Gervais et, avec une sorte de tendresse, il tire le drap sur son corps offert. Tout est à l'air dans cette maison, songe-t-il, sans interroger plus avant son idée. Elle se déploie pourtant au fond de lui, sous la conscience. Elle est la forme même de son désespoir. À l'air. Tout reçoit la fine pluie des débris de l'air et du monde, des étoiles peut-être, et tout marche dans la pulvérulence du destin qui se décompose, l'entropie, le vaste affaissement cosmique. Étienne marche dans l'accablement universel. Il voit en tas ses plus jeunes frères, saouls de sommeil et de rêves bas, et dans la chambre des filles il aperçoit les beautés frustes, aux longs cheveux roux et ébène, gerbes de grâces promises aux saccages inévitables. Lui aussi est promis au saccage, comme une fille, mais sans la jouissance ; la vie écrasera un à un ses maigres espoirs jusqu'à lui faire regretter à fond d'être né.

Non, non, il se secoue. Non, il se dressera, se lèvera au-dessus de cela autour de lui, de cette défaite. Il regardera en face la Lucie douce et folle, sa grande et sale maman au rêve indéfini, il durcira les poings, il n'hésitera pas à cogner pour se frayer un chemin vers la vie libre où pourront éclore des fleurs de tendresse et de force, d'ambition même ; il sera grand, il sera celui qui se dresse de toute sa hauteur parmi les hommes et qui reçoit, comme un tribut inestimable, pleine mesure d'honneur et de respect. Étienne ! Il sera Étienne Tourangeau, celui qui s'est tiré du marécage familial, de la pauvreté, de la folie douce et de l'insignifiance, qui s'est hissé jusqu'à… Misère ! Il a dix-huit ans et tout, tout est à entreprendre, il n'a ni instruction ni un sou d'économie, il n'a pas même cette absence de scrupule qui lui permettrait de ramasser vite un peu d'argent en se faisant vendeur de mort illuminante, coke, crack, héroïne. Réussir les mains propres quand on a raté toutes les occasions, à commencer par sa naissance : le beau défi !

Le linge encombre jusqu'à l'escalier qui relie les deux logements. La maison croule sous la friperie dans laquelle le village s'est d'abord pavané puis dont il s'est défait, content de trouver à exercer sa charité. Les arrivages sont parfois si abondants que la Lucie cesse de laver, il y a toujours quelque chose de propre à porter. Il suffit de bien chercher, ce qui peut être long, car, ici, rien ne se perd. Il n'y a pas de poubelle pour cet endroit du monde où aboutit l'élégance en loques de partout.

Étienne descend les marches en écartant du pied des monceaux de vêtements. Les deux logements sont complètement séparés et il doit passer par l'extérieur pour accéder au rez-de-chaussée. Il pousse la porte, qui n'est jamais verrouillée. Le même désordre l'accueille. Il essaie d'imaginer ce que serait la pièce sans tous ces objets à la traîne. Deux ou trois jours par année, à l'occasion des grandes fêtes, les tas de charités sont transportés dans une chambre et la salle de séjour est surdécorée de ballons, de guirlandes, d'ornements criards disposés selon la fantaisie de chacun. Les accoutrements les plus fantasques sont alors composés à partir du linge paroissial et viennent compléter l'atmosphère de franche hystérie.

« Elle est bien, là-dedans », pense-t-il. Elle, c'est la Lucie, qu'il aime et craint et déteste à la fois, et qu'il plaint, et qu'il voudrait protéger contre la petite folie qui fait son malheur et celui de tous les siens. Mais comment raisonner une mère ? Il voudrait plutôt s'abattre sur son épaule et fondre, fondre en larmes, en mots qui brûlent, balbutier sa longue détresse, trouver refuge dans sa chaleur et sa douceur, entendre sa voix couler sur lui comme une petite

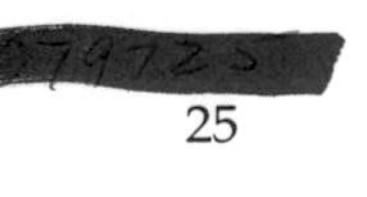

chanson de pluie, il voudrait que tout son grand corps de mère l'abrite contre sa peine et son présent manqué, l'absolve de ses regrets et de ses haines, le fasse fort contre le dégoût qui le transit et lui gâte l'existence. Maman, lui dirait-il, pourquoi sommes-nous dans ce purin ? Pourquoi n'avons-nous pas une existence normale, avec des chances normales de satisfaire nos goûts, nos besoins de tendresse et de beauté, d'aisance aussi, pourquoi sommes-nous toujours en dessous ? Qu'est-ce qui nous condamne à la vie laide, au désespoir ? Il aurait sa tête sur son épaule, elle le caresserait doucement sans répondre, et toutes ses questions tourneraient en une seule plainte, un seul son. Et elle, alors, murmurerait les mots de son secret, d'anciens mots sauvages appris de sa mère et dont le sens lui échappe, des mots qui font un nœud dans sa mémoire et lui servent de recours contre le mauvais air de tout, la malice des circonstances et du destin. Elle l'apaiserait de sa grande main parcourant son échine, reliant tous les désemparements de ce corps maintenant adulte qui ne sait pas s'adresser où il faut et qui s'adresse à elle la mère, la grande foi, l'ordure.

La chambre où couche Lucie est attenante à la cuisine et elle dort la porte ouverte, pour surveiller. Dès qu'Étienne met le pied dans la vaste pièce ensoleillée, elle lui parle à voix basse :

— Étienne ? Quelle heure est-il, mon grand ?

— Sept heures moins dix, lit-il à l'horloge.

— Mon Dieu ! tu es bien matinal, aujourd'hui ! Qu'est-ce qui se passe ? Es-tu malade ?

— Mais non ! Un peu d'insomnie, c'est tout.

— As-tu des problèmes ?

— De toute façon, tout le monde se lève à cette heure-là, maman. On ne fait pas de l'insomnie quand on se lève à l'heure de tout le monde.

— C'est toi qui as parlé d'insomnie. Approche-toi, viens me voir.

Au milieu du grand lit, sa tête émergeant seule du drap tendu, elle offre une image inhabituelle d'elle-même, dégagée du foisonnement d'objets dont elle s'entoure continuellement. Le lit est un désert et elle est ensevelie sous les sables blancs. Son visage encadré de longs cheveux défaits a des allures de masque lunaire, elle est une lune qui parle et sa voix vient de sous les sables, à peine audible car elle s'efforce de ne pas réveiller les enfants qui dorment dans la chambre voisine.

Sous le drap, Étienne sait qu'elle est nue et il se retient d'imaginer le corps que tant de fois, quand il était petit, elle exposait en toute innocence aux yeux de chacun.

Il est debout auprès d'elle et elle le regarde avec un bon sourire, fière, sans doute, de ce morceau de jeunesse issu d'elle. Étienne se laisse admirer, puis il retombe dans la morosité. Il faut surtout éviter de lui exposer ses problèmes, son insatisfaction car elle a des raisons terribles à opposer aux velléités d'affranchissement. « On dirait que tu n'es pas heureux », commence-t-elle en levant vers lui une main par-dessus le drap qui la recouvre, et la grande plage lisse du lit est maintenant un peu déformée, s'affaisse par endroits, laisse entrevoir la forme qui prolonge la tête et conteste sa solitude lunaire. Elle est toute une masse, une marée, elle se prolonge bien au delà du lit et emplit la chambre, la maison tout entière de sa présence chaude et molle, déborde sur le terrain en amoncellements hétéroclites, elle est Lucie, lumière et déraisonnable amour épandu autour d'elle, à la mesure de ses grands yeux bruns qui ne retiennent rien de son âme. Elle est une âme, à plein rayonnement de corps, à pleine pluie de chair offerte en sacrifice à ses enfants qui la prolongent, à Étienne qui ne sait que faire de ce don.

Tant de tendresse l'énerve et il se rabat sur la vie pratique.

— As-tu besoin de moi aujourd'hui ?

— Non, mon chéri. Tu veux aller te promener ?

— Oui. J'ai besoin de bouger.

— Tu vas voir les filles ? fait-elle avec un rire niais.

Il y a un humour maternel qu'Étienne tolère mal ; c'est celui qui met en cause la sphère de ses rares affections privées et de ses désirs. Il se rebiffe.

— Un gars comme moi ne va pas voir les filles. Je n'ai pas d'emploi, pas un sou pour les inviter nulle part, ni au restaurant, ni au cinéma. Je n'ai rien de ce que les filles demandent à un gars. Je ferais mieux d'être fifi !

— Allons, allons, les filles te découvriront bien assez vite, ne t'en fais pas. Un beau garçon comme toi ! Tu penses qu'elles sont attirées seulement par l'argent, les filles ?

Elle caresse légèrement sa cuisse, du bout des doigts. Il fait un pas en arrière.

— Il y a de quoi déjeuner ?

— Bien sûr, mon grand. Quand vous ai-je laissé manquer de quoi ? Il y a toujours à manger, ici. Essaie de ne pas réveiller les petits, j'aimerais me reposer encore un peu.

Elle a dû forniquer une partie de la nuit avec un de ses messieurs. Ils s'amènent vers les onze heures, quand les plus jeunes des enfants, qui ont leur chambre en bas, sont couchés. Les visiteurs s'enferment avec elle jusqu'à deux ou trois heures. Depuis sa grande opération, elle ne craint plus les mauvaises surprises et se soumet sans déplaisir aux réclamations de sa nature. Les hommes qu'elle accueille ne trouvent rien à redire à ses façons, ni aux allures négligées de la maison.

Parfois, ils lui font cadeau d'une grande gifle, ou d'un billet de cinquante dollars, selon l'inspiration du moment. Étienne n'en est plus à les jalouser ni à espionner leurs manières. Il a pris son parti du régime de charité régnant et s'étonne seulement que ses sœurs, dont les plus vieilles ont quinze et quatorze ans, n'aient pas encore — à sa connaissance — commencé de proposer leurs charmes à la générosité publique.

Après avoir avalé trois toasts et un mauvais café, il compte son argent de poche et s'élance allègrement hors de la maison. Malgré la chaleur, l'air du matin, brassé par une petite brise, est respirable et le flûtement des merles, accompagné du cri grinçant des carouges, fait courir une discrète gaieté. Étienne voit à peine les détritus qui jonchent le terrain, laisse derrière lui sa mère et sa misère, retrouve cette joie éphémère, mais violente, qui accompagne tous ses départs quand un renouveau, une liberté sont encore possibles au bout de ses pas et qu'il n'a pas été rejoint par la suffocante pensée de son destin.

3

— Hou ! le petit cochon !

Lucie vient d'apercevoir Bernadette, sa dernière, sa Babette adorée. Un large filet verdâtre lui coule du nez et le reste du visage est inégalement maculé de poussière et de confiture. Ce spectacle l'attendrit et lui arrache son compliment plein d'indulgence.

— Viens ici, que je t'essuie un peu.

Elle s'empare du linge de table et se lance à la poursuite de l'enfant, que les sévices de l'eau claire terrorisent.

— Une petite beauté comme toi, on ne laisse pas aller ça tout crotté ! Qu'est-ce que les gens vont dire ?

Elle l'a attrapée et lui impose la puante caresse du linge. Babette crie comme si on l'assassinait, frappe durement sa mère des poings et des pieds et se calme instantanément, dès que cesse l'agression.

— Beau trésor, pourquoi fais-tu mal à ta maman ? Tu n'aimes pas ça, être propre ? Tu es bien plus jolie comme ça.

— Veux pas être jolie ! bredouille l'enfant de sa voix compulsive, qui fuse comme un chapelet de hoquets.

— Allons donc ! Une petite beauté comme toi ! Qu'est-ce que le bon Dieu va dire ? Ce n'est pas à toutes les petites filles qu'il accorde la faveur d'être belles. Tu préférerais être comme une sorcière, avec des cheveux comme un paquet de ficelles grises, un nez crochu, des dents pointues et la peau du visage toute rouge, toute pleine de bosses ?

— Oui, fait Babette en riant d'un rire gras et coquin.

Fernand, qui vient d'entrer dans la cuisine, rit aussi et s'écrie :

— Babette, t'as pas besoin de devenir sorcière, tu l'es déjà ! Une vraie face de pet !

Aux protestations de la mère et de la fille, Fernand répond par des rugissements de joie.

— Toi, Fernand, finit par articuler Babette, t'es un malade mental.

— Dis plus jamais ça, toi, ou je t'étrangle, fait le garçon qui, devenu du coup très sérieux, commence à mettre sa menace à exécution.

— Hé ! maman, il me fait mal ! Lâche-moi, maudit f…

— Fernand ! Lâche ta sœur, tout de suite !

— Qu'elle me demande d'abord pardon. Dis pardon, Babette, ou je te tue ! Dis-le !

— Pa… pardon…

— Plus fort !

— Pardon !

Il la relâche. Elle est cramoisie d'asphyxie et de colère.

— Malade mental ! malade mental ! fait la petite qui s'est réfugiée dans les bras de sa mère.

— Hé ! maman, dis-lui d'arrêter ça ou je ne sais pas ce que je lui fais !

— Du calme, du calme, tous les deux ! A-t-on jamais vu ça ? Êtes-vous des catholiques ou des païens ? Qu'est-ce que le petit Jésus va penser de vous autres ?

— Le petit Jésus, maman, il n'existe pas.

— Hein ! Qu'est-ce que tu dis, toi ?

Fernand la regarde avec le même air de triomphe qu'il affiche quand, d'aventure, il pense au-dessus de son âge.

— Le bon Dieu, c'était des menteries dans l'ancien temps, pour faire tenir les enfants tranquilles. Comme le père Noël.

— Fernand ! Te rends-tu compte de ce que tu dis ?

— La vérité sort de la bouche des enfants, dit une voix placide, au timbre métallique.

— Monsieur le curé !

Dans la fenêtre-moustiquaire s'encadre la silhouette replète de l'ecclésiastique. Fernand et Babette, du coup réconciliés, s'esquivent du côté de la salle de séjour et Lucie, décontenancée, reste quelques moments à bafouiller de vagues excuses tout en reprenant ses esprits. Elle finit par se précipiter vers la porte.

— Entrez, entrez, monsieur le curé, quelle bonne surprise ! Vous auriez dû passer par en avant.

— Je voulais revoir un peu les berges de votre jolie rivière. Et puis, j'aime bien surprendre mes paroissiens dans leur naturel.

— Naturel, oui, vous pouvez le dire, monsieur le curé ! Si j'avais prévu votre visite, vraiment, je me serais habillée mieux que ça, et puis coiffée… Vous êtes toujours si bon pour nous !

— Eh bien, justement ! Je voulais vous éviter tous ces soins inutiles. Le bon Dieu, après tout, vous voit bien à tout instant telle que vous êtes. Pourquoi le curé devrait-il jouir de privilèges qu'Il n'a pas ? L'Église, vous le savez, ma bonne Lucie, a beaucoup changé depuis Vatican II. Elle est maintenant plus près des gens. Finies les simagrées ! Ce sont les âmes qui l'intéressent.

Il parle d'une voix un peu lasse, où un brin d'ironie vient atténuer la fermeté forcée de ses positions. Il semble vivre par cœur, poussé par un devoir que le temps a accommodé à toutes les sauces.

— Alors, mon petit Fernand vous fait la leçon de catéchisme ? reprend-il, avec un feint détachement.

— Ah ! monsieur le curé, celui-là, il va me rendre folle ! Pouvez-vous me dire où il prend toutes ces idées croches qu'il nous sort, comme ça, pour nous faire enrager ?

L'ecclésiastique paraît songeur un moment, puis la dévisage froidement.

— Ma foi, oui, ma bonne Lucie, je pense que je pourrais vous le dire. C'est justement un des sujets que je voulais aborder avec vous.

Elle soutient son regard, un peu inquiète, pendant qu'il fait durer une pause savante. Elle va recommencer ses plaintes quand il se décide à ouvrir la bouche.

— Il y a des actes de charité, ma bonne Lucie, qui peuvent entraîner des effets contraires à ceux qu'on serait en droit d'espérer. Ainsi, si vous me permettez une comparaison dans le style imagé de ce brave La Fontaine, la maman chien qui admettrait dans sa portée deux jeunes loups, même si elle leur accorde le même traitement qu'à ses chiots, sera bien surprise un jour et bien chagrinée de découvrir non seulement que ses deux petits adoptés sont des loups, mais que ses propres enfants ont subi la mauvaise influence. Voilà, je crois que je n'ai pas besoin de vous faire un dessin.

Étourdie par la brutalité du propos, Lucie reste d'abord interdite, puis une sourde colère monte du fond d'elle-même. Ce n'est pas la première fois que le prêtre se permet de telles observations, mais, ce coup-ci, il dépasse les bornes. Offensée dans ses instincts les plus généreux, elle fait face soudain, comme une bête forcée dans ses derniers retranchements.

— Voulez-vous dire, monsieur le curé, que je n'aurais pas dû recueillir ces deux enfants lâchement abandonnés, des enfants qui ont subi de véritables tortures de la part de leurs parents ? Voulez-vous dire que j'aurais dû les laisser aller dans les foyers d'accueil, où ils risquaient de trouver pire encore que chez eux ? Ne vous réjouissez-vous pas, monsieur le curé, de voir que ces enfants ont trouvé une famille convenable, qui les reçoit avec affection plutôt que pour de l'argent ?

— Ma chère madame, sur le chapitre de la charité, croyez-moi, j'en connais un peu plus long que vous !

Devant l'air vexé de son protecteur, Lucie prend le parti de désamorcer la discussion en recourant à son rire le plus niais.

— Monsieur le curé, je ne voulais pas vous faire la leçon !

— Je connais aussi bien que vous — et même mieux, si vous le permettez, puisque je suis prêtre ! — les saintes obligations de l'assistance à son prochain. Cependant, il ne faut pas que la générosité, en soi parfaitement louable, enlève au bienfaiteur toute conscience des dangers auxquels elle peut l'exposer.

— Mais vraiment, monsieur le curé !... Des enfants ! Huit et sept ans ! Ils ne savent même pas encore ce que c'est qu'un péché.

— Ma bonne Lucie, vous seriez surprise de voir ce que ces petits êtres, qui ont été conçus et élevés dans le vice, peuvent receler de fange et d'abomination derrière leurs mines angéliques. Bien sûr, ils ne sont pas responsables des germes de péché qu'on a déposés en eux. Mais ils constituent une véritable menace, telle la pomme gâtée qu'on met par mégarde au milieu des pommes saines et qui, en peu de temps, les contaminera toutes !

— Pardon, pardon, monsieur le curé ! Vous êtes là depuis cinq minutes et je n'ai même pas pensé à vous offrir une chaise. Tenez, il y a la berçante, je crois que vous l'aimez bien. Un instant, je la débarrasse.

Elle prend la pile de vêtements chiffonnés qui encombre la chaise et va la porter dans la pièce voisine. Le curé, qui n'est pas dupe de la diversion, s'assoit avec résignation.

— Il fait déjà très chaud, vous prendrez quelque chose ? J'ai de la limonade bien fraîche. Donnez-moi votre chapeau.

— Non, merci, je le garde. Pour ce qui est de la limonade, oui, un petit verre me fera du bien.

— Tout de suite, monsieur le curé.

Il a posé son panama sur ses genoux, ne pouvant se résoudre à le confier à un meuble tant tout est à la traîne et génère des risques de saleté, ou même de vermine.

— Voilà, monsieur le curé. Il fait vraiment très chaud.

L'ecclésiastique prend le verre et le tient du bout des doigts, comme s'il craignait de se souiller. Il l'examine avec accablement puis le dépose sur un bahut à sa portée.

— Ce n'est pas à votre goût, monsieur le curé ?

— Je n'ai plus soif. Ma bonne Lucie, je suis venu ici ce matin…

Il s'interrompt, semble faire le tour de ses pensées pour les mettre en ordre, comme il fait au moment de commencer ses homélies. Quand il reprend, son ton a la régularité d'une mécanique qui déroulera jusqu'au bout sa mélopée de bois.

— … pour vous faire part du mécontentement — le mot n'est pas trop fort — de certaines personnes à votre endroit. Du reste, ce n'est pas nouveau. Combien de fois, par le passé, quand vous habitiez au village, n'ai-je pas dû me faire le porte-parole de vos concitoyens et vous transmettre leurs observations, et même leurs plaintes, du reste parfaitement justifiées. Je croyais cependant que votre installation ici changerait quelque chose à la situation. Vous m'aviez d'ailleurs promis solennellement de vous amender et de faire tout ce qui est en votre pouvoir pour complaire à vos généreux bienfaiteurs, à monsieur le maire notamment puisque, pour ma part, je semble avoir bien peu d'influence sur vos décisions.

— Monsieur le curé ! objecte Lucie en le fixant de ses grands yeux sincères, comment pouvez-vous dire cela !

— S'il vous plaît, ne m'interrompez pas, j'ai beaucoup de choses à vous dire et je veux aller jusqu'au bout. Par où commencer? Ah oui! Monsieur le maire, ma bonne Lucie, est déçu, très déçu. Quand il vous a fait obtenir cette maison au bord de l'eau — un endroit de rêve pour élever vos enfants en toute quiétude, à l'abri des mauvaises influences de la rue, vous savez ce que je veux dire —, il croyait que, ne serait-ce que par reconnaissance, vous respecteriez l'état des lieux et verriez même à embellir la propriété, par un entretien régulier du terrain, l'aménagement de plates-bandes, et le reste. Je conçois, certes, que l'horticulture ne soit pas votre fort, mais je déplore, comme monsieur le maire, que votre pelouse soit devenue un terrain inculte, où les mauvaises herbes le disputent au foin, et surtout, surtout, qu'elle soit devenue un véritable dépotoir. Le mot n'est pas trop fort...

Attentive pendant un moment à la remontrance, Lucie se prend peu à peu à rêvasser, tout en faisant mine d'écouter le prêtre avec déférence. Puis elle se laisse distraire par le panama de couleur claire sur ses genoux. Il fait contraste avec l'habillement sombre — veste et pantalon noirs, chemise d'un violet foncé qui rappelle le Vendredi saint. Comment peut-on affronter ainsi l'été, en homme de nuit dans la fournaise du plein jour, comment? Pauvre lui! Ce qu'il doit avoir chaud! Elle le prendrait avec elle, dans sa chambre, déferait un à un les boutons ; la poitrine apparaîtrait toute blanche sous le poil grisonnant, puis le nombril, petit bénitier ; elle déferait ensuite la ceinture, le pantalon tomberait sur les chevilles, et elle découvrirait tout, le mettrait complètement nu, et il se laisserait faire comme un petit enfant, un bébé. Elle le coucherait sur le dos et, de son puissant instinct femelle irradiant ses mamelles ballottantes, de son gouffre dévorant, elle convertirait cette cinquantaine ventrue en prière turgide, fumante, elle exécuterait le sacrifice rituel aux divinités du bonheur. De ce sermonneur plein de fiel, elle ferait un homme heureux, la jouissance coulerait comme un lait à la commissure de ses lèvres. Gavé, repu. Il bourdonnerait de lassitude et de stupeur ravies. Tout un curé, purgé d'un coup par ses soins experts. Devenu doux et humble, comme un enfant de chœur d'autrefois, embarrassé dans sa soutane.

— M'écoutez-vous, ma fille ?

— Oui, oui, monsieur le curé, je vous suis, mais…

— Vous répondrez plus tard, si vous croyez qu'il y a quelque chose à répondre. Moi, je vous transmets l'avis de monsieur le maire. Les plaintes qu'il a reçues sont très graves ; j'espère que vous n'en doutez pas.

— Les plaintes, vous savez…

— Des plaintes absolument fondées. Savez-vous ce qui retient plusieurs de vos voisins de mettre leur propriété en vente ? C'est, d'une part, que la valeur en a tellement baissé qu'ils peuvent difficilement envisager une opération aussi catastrophique ; d'autre part, qu'on se demande bien qui pourrait acheter une maison dans un quartier ainsi défiguré. Le danger, du reste, c'est que des sans-allure profitent des circonstances pour se porter acquéreurs et laissent, eux aussi, leur propriété se détériorer… Le bord de l'eau, qui faisait l'orgueil de la municipalité, deviendrait ainsi une honte, et cela, par la faute de qui ? Par votre faute !

Ses bajoues, portées au rouge, tremblent un peu sous les verres à fine monture de métal blanc. Lucie aime cette colère, qui amène de l'émotion sous la peau.

— Vous rendez-vous compte ? La fabrique et la municipalité s'unissent pour vous tirer du pétrin et vous, tout ce que vous trouvez à faire, c'est de salir le nid qu'on vous a fait !

— Monsieur le curé ! Me permettez-vous de répondre sur ce point ?

— Je sais ce que vous allez me dire, ce n'est donc pas la peine. D'ailleurs, j'ai beaucoup d'autres observations…

— Excusez-moi d'insister, monsieur le curé, mais vous savez fort bien que j'ai été installée ici de force, après avoir été, en quelque sorte, expulsée de la maison du village où nous étions très bien logés, mes enfants et moi, dans une maison qui avait été celle de mon beau-père et qui appartenait donc à la famille de mon mari.

— Voilà bien le problème, chère madame ! Avec votre ribambelle d'enfants mal élevés, vous vous rendez indésirable partout ! Et sachez que nous avons… que la municipalité a les moyens de vous chasser, m'entendez-vous ? de vous bannir si vous ne changez pas d'attitude et si vous refusez de vous comporter en personne civilisée !

Stupéfaite, Lucie fixe cet homme chauve, replet, aux yeux aussi ronds que ses lunettes. Il vient de lâcher le grand mot, bannir, bannir, il la menace de l'envoyer à tous les diables, elle qui a, qui devrait pourtant avoir des droits sur cette terre, et dans ce pays. Elle comprend soudain que l'époque de la tolérance est terminée, que la vague pitié et la vague affection qui l'ont entourée et protégée jusqu'ici, sans doute à cause de son beau-père qui était un homme si respecté, n'existent plus. Longtemps, la mémoire du vieux médecin a étendu son aura sur ses descendants, sur Chonchon en particulier, le benjamin, dont on excusait le tempérament bohème et même le mariage avec une fille invraisemblable. Maintenant c'est fini, et il faudra jouer dur.

— Le docteur Tourangeau, dit-elle pour vérifier sa disgrâce, m'a souvent répété que je pourrais compter sur la bienveillance de mes concitoyens, en cas de... Il savait bien que son Chonchon ne pourrait me faire vivre et...

— Tout cela, rendez-vous-en bien compte, appartient au passé. Le bon docteur est disparu il y a plusieurs années, et il est inutile de compter sur son influence. Il a laissé le souvenir d'un parfait honnête homme, et les gens déplorent seulement que sa descendance se montre si peu à la hauteur de ce qu'il fut. Eh quoi ! il suffit de jeter un regard sur vous, sur votre demeure, sur vos enfants mal attifés pour comprendre que, entre lui et vous, il n'y a rien de commun, rien !

Émue par ces dernières paroles, Lucie éclate en sanglots.

— Pourtant, monsieur le curé, cet homme-là m'aimait, et si ce n'avait été de lui, c'est moi qui aurais quitté mon mari et tous ces enfants qu'il me faisait. Lui, il me disait que ma présence était indispensable au milieu d'eux, et il acceptait mes habitudes, ma façon de voir. L'important, disait-il, c'est l'amour et il savait que, malgré tous mes défauts, monsieur le curé, jamais un de mes enfants ne serait privé du nécessaire et surtout, surtout, qu'il serait assuré de l'affection sans laquelle la vie est impossible.

— Oui, l'amour, c'est bien beau : je prêche cela tous les dimanches ! Mais pensez-vous que ça suffit ?

Lucie maintenant pleure à chaudes larmes et, brisée, elle s'effondre à ses pieds. Elle enlace ses genoux en bafouillant des paroles à moitié mangées par sa douleur. Il reste figé en attendant que la crise finisse, mais elle maintient son étreinte et, peu à peu, se fait plus insistante. Éperdu, il constate qu'il est tombé dans le piège d'une immonde tendresse et que cette femme en pleurs est capable de toutes les folies. Il veut se lever, s'enfuir, mais elle est la plus forte et sa résistance, d'un seul coup, cède sous la contagion de cette démence. Il blêmit, éprouve un grand vertige puis perd la notion des choses. Il garde un moment la conscience de combattre, de refuser il ne sait quel bonheur terrible qui s'offre à lui, d'écarter de la main une main experte en soins doux, efficaces, maternels, puis il s'abandonne, il consent, il se laisse prendre par l'étouffante vague tendre, se découvre soudain sur un grand lit lunaire et la vie aux longs bras, aux mamelles immenses encadre son désir. Tout redevient maintenant très précis, il est là, lui, le curé, couché nu sous elle et elle se démène comme cent diables, et elle le regarde avec son sourire plein de larges dents blanches, un peu jaunes, qu'il voudrait lécher ; ses grands yeux bruns sans profondeur, mais bourrés de rêves fous, l'ensorcellent à petits coups, à petites secousses de joie intarissable puisée on ne sait où, comme si cette vie de pauvreté pouvait sécréter autre chose que le malheur et la mort. Mais quelle douceur, quelle soie, ce ventre sur son ventre, et la communion des chaleurs ! Oui, il communie maintenant avec cette joie qui l'empoigne, avec ce plaisir du moins car c'est bas, c'est affaire de chair et de rythme animal, presque végétal, vaste afflux de sang et de sève, vaste gonflement de tout — l'extase !

4

Quand il marche, avec du temps plein ses poches, Étienne pense souvent à Dieu. Double, il se voit aller ; il se voit aller seul car sa nature de Tourangeau, fils de Lucie la folle, fait de lui un être à part qu'on peut saluer comme ça, mais avec qui on ne se lie pas. Il se voit avancer le long des chemins, fonçant dans le ciel qui se referme derrière lui avec des bruissements de frondaisons et des froufrous de nuages. Et il pense à Dieu dont sa mère parle volontiers, bien qu'elle ne soit pas dévote. Elle est pieuse naturellement, et traite son créateur avec plus d'amour que de respect. Étienne aussi. Il s'en est fait un interlocuteur pour ses longues heures de promenade. Il faut le mouvement de ses deux jambes scandant la marche, la sensation de son corps intimement secoué à chaque pas, de son sexe flottant dans son jean, de son ventre serré à la ceinture, de tous ses membres dégourdis par la liberté d'aller, pour qu'un rythme d'oraison s'installe en lui peu à peu. Il commence par murmurer intérieurement, sans y penser : mon Dieu... mon Dieu... mon Dieu..., puis s'ajoutent des mots : mon grand Dieu, mon grand, mon haut et saint, mon grand Dieu saint dans le ciel, ciel, et il voit maintenant mieux le ciel, à cause de cette présence. Le ciel est comme un mufle frémissant, plein de cellules d'air bleu et blanc qui sont aussi des distances, des rayonnements, et dans lesquelles existe l'être sans forme, plus grand que tout car il comprend tout, il est ce par quoi, moi, Étienne, j'existe. Et Étienne se sent fier et, content, il échappe à son petit sort minable de garçon sans métier, sans place dans le monde ordinaire ; il n'est plus un enfant, il est un homme livré à la joie d'exister, cette joie le change. Il renaît, il naît plutôt, de minute en minute, tout neuf dans sa peau, dans ses vêtements qui participent de sa nudité comme une autre peau. Il se sent beau, jeune et pur ; Dieu passe en lui comme un train de comètes.

Les maisons, alors, sont des accidents bienveillants, des séides du ciel qui bordent son chemin, il avance parmi les dispositions, les grâces. Parfois, derrière une vitre où se reflète la clarté, comme un fantôme, il perçoit la tête d'ivoire d'une vieille qui le regarde aller et qui ne s'effarouche pas d'être découverte. Il y a, comme ça, des vieilles sans emploi dont la seule fonction semble être celle de témoins, témoins de tout ce qui passe, le jeune et le beau, le bien, le mal, le gros, parfois l'imprévu. Taquin, Étienne leur lance un salut de la main, ou même un baiser, ou parfois un geste obscène, selon l'inspiration du moment. Jamais elles ne bronchent, mais leur jugement glacé ira alimenter l'instruction du procès perpétuel intenté par l'opinion publique contre cette famille de vagabonds, issue des œuvres du bon docteur comme une punition pour on ne sait quel crime. Étienne se sent presque heureux, presque fier d'appartenir à la race des loups et de détenir sa mission de vivant directement du ciel, où le grand, le saint, le doux bon Dieu l'aime et l'accepte de part en part, tel quel, jusque dans sa pauvreté, sa faim, sa honte parfois et son goût vif d'être libre. Ah ! l'air, l'air devant lui, au bout de son regard, l'emplit d'espoir bleuâtre et serein.

Arrivé près du viaduc qui enjambe les rapides, là où le lac se déverse dans la rivière, Étienne s'interroge un moment sur l'emploi de sa journée. Il pourrait se rendre dans une des îles, en traversant sur les pierres, et pêcher avec l'attirail rudimentaire qu'il a dissimulé dans les buissons. Avec de la chance, il prendrait un achigan ou un doré, mais il ne détient pas de permis et la vente en serait difficile. Depuis belle lurette, du reste, les acheteurs potentiels sont sensibilisés aux méfaits de la pollution et se montrent méfiants : « Un beau doré, madame ? — Non, monsieur ! Ton poisson, c'est du poison ! » Les calembours, en matière d'écologie, tiennent volontiers lieu de raisonnements.

Une autre idée lui vient : traverser à Laval-Ouest et se faire un peu d'argent sur le terrain de golf. Il pourra ensuite prendre le train pour Montréal. Il faudra, pour réaliser son projet, emprunter le pont des trains, ce qu'il ne fait jamais sans un peu d'appréhension à cause de l'accident arrivé, il y a des années, à Ti-Nest Laroche qui y a laissé la vie. Le galopin n'avait pas prévu le passage de l'express et s'était retrouvé en plein milieu du viaduc au moment où le convoi s'y engageait. Les secousses imprimées à la structure de métal à laquelle il se cramponnait lui avaient fait lâcher prise et il s'était fracassé la tête sur les roches qui émergent entre les mailles du courant, fort violent à cet endroit. Son corps avait été repêché loin en aval.

Pour s'assurer qu'aucun train ne vient, Étienne pose sa paume sur l'acier des rails, qui retient encore la fraîcheur de la nuit, et il y applique même son oreille comme faisaient les Indiens de la plaine. Si on me voit, se dit-il, quels desseins me prêtera-t-on ! À l'intention d'éventuels observateurs, il esquisse un bras d'honneur et, content, se remet sur pied. Puis, d'un pas énergique, il s'élance sur les traverses en franchissant à chaque pas deux intervalles. Tout va bien, il n'y a pas de cheminot au travail et la gare n'est plus en vue. Parvenu au pont, il contemple un moment le bouillonnement des eaux qui se découvre sous lui et, confiant dans son ascendance amérindienne qui le préserve du vertige, il s'engage entre les rails. Cette fois, il ne saute pas de traverse et progresse donc à petites enjambées, ce qui lui donne une démarche de clown ou de pédéraste. Malgré les précautions qu'il a prises, il ne se sent pas tout à fait en sécurité, car un train pourrait bien s'être arrêté dans une gare proche, au moment où il auscultait le rail. Ce doute l'effleure à peine car il n'est pas du genre à s'effrayer pour des riens, surtout à l'âge qu'il a maintenant et qui le met au-dessus des terreurs enfantines. L'époque des frissons complaisants est bien finie et c'est un peu dommage, car la peur donnait du prix à l'aventure. Maintenant, il n'y a plus que la satisfaction de s'arracher à ce qu'on aime et qui nous diminue.

Rendu au milieu du viaduc, Étienne s'attarde un moment au spectacle de l'eau noire et écumante, dont les remous prennent d'assaut les pierres puis sont aspirés par la descente. La dénivellation est si forte que, l'été, la masse liquide se concentre dans un passage relativement étroit où se déchaînent tous les démons de l'élément. Le ciel est maintenant très bleu autour de lui et, debout au-dessus du gouffre, il éprouve, comme sa mère quand elle nage au-dessus de la fosse, un besoin de se vider, de communier avec la grande économie liquide. Il dégage son membre et urine tout son content pendant que les goélands tournent dans la joie de juin. Puis, allégé, complètement remis de son réveil accablant dans la maison chaude et sale, comme s'il s'était baigné dans les remous glacés, il reprend son chemin vers la rive.

En approchant du terrain de golf, bordé de hauts thuyas dont le parfum, dans l'ombre dense, évoque les vacances et la forêt, Étienne se souvient des étés où, enfant, il venait s'engager comme caddie. À cette époque, les trains étaient plus fréquents et les conducteurs fermaient les yeux sur la grappe de galopins qui passaient clandestinement d'une rive à l'autre, entassés sur le marchepied. Étienne offrait de préférence ses services aux anglophones, qui payaient bien et le dispensaient d'une conversation dont il se fût montré fort incapable. *Yes, no, thank you,* telle était à peu près la somme de ses ressources expressives. Pour le reste, sa vaillance et son joli minois faisaient merveille. Il avait un air de droiture qui inspirait confiance. «*My little frog*», l'appelait un habitué, avec tendresse.

C'est la première fois qu'il se présente au pavillon, cette année. Chaque été, il vient y offrir de temps à autre ses services de caddie spécialisé, c'est-à-dire d'aide aux débutants. Il y a toujours quelque abruti qui, vers la quarantaine, décide de se mettre au sport et s'amène avec son sac plein de clubs flambant neufs et sa tête farcie d'espoirs de prouesses. Ou quelque épouse dans la trentaine qui a décidé de tromper l'ennui pendant que son professionnel de mari se tue au travail ou à l'amour. Étienne a vu jouer suffisamment de bons golfeurs pour donner quelques conseils utiles, rectifier de mauvaises positions, suggérer les bons fers, indiquer la meilleure façon de se tirer d'un mauvais pas.

Au comptoir, il retrouve Annie, une bonne fille aux dehors imposants, qu'on n'a pas envie de courtiser et qui s'en console comme elle peut. Elle accueille le jeune homme avec son plus tendre sourire.

— Si c'est pas mon beau Étienne!

— Eh bien! Annie en personne! Comment vas-tu?

Il pose un baiser sur sa joue molle, qui vire aussitôt au cramoisi. Elle attache sur lui un regard intense, de ses yeux bleus qui se perdent un peu dans sa vaste face, et il détourne légèrement la tête pour se soustraire à sa demande d'âme. Elle boit, elle aspire comme un puits sans fond ceux qui se penchent sur elle, à donner le vertige même aux Amérindiens, pense Étienne amusé qui se représente aux prises avec cette masse de chair grasse et de sentiments. Il n'empêche, les bonnes filles comme Annie sont rares, et l'objet de son affection sera assuré de l'adoration perpétuelle, sans compter un dévouement de tous les instants. Pour le moment, elle languit dans ses robes trop serrées. Il n'y a pas de bon Dieu pour les vierges obèses.

— Et alors, demande-t-il, la saison est bonne ?

— Comme toujours, mon Étienne. Le golf, c'est bien le seul sport qui ne connaîtra jamais la récession ! Il faut vraiment du très mauvais temps pour décourager les joueurs de jouer.

De sa voix suave, elle débite un flot de plats commentaires, qui risque de ne jamais se tarir. Étienne profite d'un moment d'essoufflement pour glisser :

— Penses-tu que je pourrais me faire un peu d'argent, ce matin ? De vieux caddies comme moi, est-ce qu'ils ont encore des chances ?

— Tu sais, les caddies, ils ne sont plus tellement à la mode ! Les joueurs ont tous leur petit chariot, ou ils louent des voiturettes. Mais il y a encore des originaux qui ont la nostalgie du bon vieux temps.

— Ce que j'aimerais, c'est surtout quelqu'un qui a besoin d'être initié.

— Ouais... Il ne faudrait pas que le « pro » te voie !

— Ne t'inquiète pas, je suis dans ses bonnes grâces.

— Bien... attends, je vais consulter mon livre. Les prochains sur la liste... hum ! Non, ça, ce sont de vieux habitués, tous des fanatiques de la voiturette ! Quand il en manque, ils me font des scènes ! Ceux-là, vraiment, tu ne peux rien leur apprendre. Ensuite... ensuite, oui, tiens, peut-être celui-là, c'est la première fois que je vois son nom. Il pourrait être intéressé. Regarde l'épouvantail qui s'amène, là-bas, j'ai l'impression que c'est lui.

Un quart d'heure plus tard, Étienne réprime à grand-peine son hilarité devant les efforts du néophyte incapable de faire lever sa balle.

— Me permettez-vous quelques conseils ?

— Hein ? Oui, oui, ne te gêne pas. Comme tu vois, j'en ai bien besoin !

L'aveu s'accompagne d'un large sourire qui fait presque reculer Étienne, tant l'humilité dont il regorge confine à l'impudeur. Encore un masochiste, se dit le jeune homme, vaguement écœuré.

5

Le curé Lanthier roule lentement en direction du presbytère, son beau panama vissé sur sa tête de pécheur. Un instant, il se demande s'il ne devrait pas tout de suite aller quêter l'absolution chez un confrère. Puis il se voit, dans ses vêtements souillés des sueurs de la luxure, et n'aspire plus qu'à l'eau glacée qui le décapera de sa faute ignoble. Ô Seigneur ! Comment a-t-il pu, à son âge, avec son expérience de la vie, se laisser prendre au jeu de cette sorcière ? Une sorcière, oui, avec la marmite noire de son cul, ses grandes fourchettes hilares aux dents croches ! Il se revoit entre les pattes de la strige, pardon ! pardon, mon Dieu, de Vous avoir offensé ! Il prie, mais les mots ont des parfums de chair, de toison, et la sensation de douceur abominable que produisait le contact d'un ventre de femme sur le sien, un ventre rincé tous les jours, il le sait, dans l'eau limoneuse de la rivière, le tient aux tripes. Mon Dieu, quelle douceur ! Jamais avec Marthe, la ménagère, il n'a connu pareil enchantement de toute sa chair. Marthe n'est qu'hygiène, passade mensuelle, bien connue de Dieu et du confessionnal et sans vérité ailleurs. Mais cette Lucie ! Voilà la femme, dans toute son horreur ! La femme cul, cul, le mot hideux revient incessamment sur ses lèvres qu'il souille à jamais. Cul !

Il entre en coup de vent au presbytère, se dirige vers ses appartements, mais Marthe, qui le guettait, s'interpose.

— Monsieur le curé, il y a un homme qui attend depuis près d'une heure. C'est pour un extrait de naissance.

— Le bureau ouvre à une heure trente, vous le savez bien.

— Oui, mais ce monsieur est vraiment pressé. Il est venu de Montréal.

— Bon ! Je m'en occupe.

Décidément, pas moyen d'être seul avec sa faute. De ses mains impures, qui ont touché la belle et si douce abomination, ses mains sur lesquelles ont séché les glaires du plaisir, il fera son office de pasteur, ou plutôt de fonctionnaire, à la tête d'une division administrative qui effectue l'enregistrement des naissances et des morts, des mariages, des baptêmes, de tous actes par lesquels les vivants accréditent leur présence sur cette terre ou leur passage à l'au-delà.

— Vous êtes monsieur… ?

— Vincent Lemire. Excusez-moi de me présenter à cette heure inusitée, mais j'ai un urgent besoin d'un extrait de naissance.

C'est un homme dans la trentaine, assez bien vêtu. Il s'exprime avec correction et une certaine aisance. Pourrait être comptable, ou agent d'assurances… Tout en remplissant le certificat, le curé Lanthier l'examine discrètement et se demande s'il est, lui aussi, chargé du péché invisible, s'il porte sur son corps la glu des gestes indignes, si la femme l'enveloppe de sa peste subtile. Est-il passé par l'eau purificatrice depuis la dernière fois — cette nuit, sans doute — qu'il a plongé son sexe dans le gouffre mou ? Les caillots de l'amour n'ont-ils pas plutôt séché sur ses parties ? N'est-il pas, sous son complet marron, sous ses allures décentes, un suppôt de l'amour comme il y en a tant, comme lui-même en est un ? Un frère en abjection !

De sa main qui tremble un peu, le curé Lanthier signe, puis il remet le document. Il voit la main s'avancer, voudrait la prendre et la couvrir de baisers, juste pour sentir, humer cette tiédeur peut-être coupable, flairer le péché de l'autre et connaître la consolation, au moins, de n'être pas seul. Ma foi, je deviens fou, se dit-il, et il voudrait pleurer, pendant que l'autre sort son argent et lui allonge un gros billet. Il veut rendre la monnaie, mais l'homme refuse d'un geste — toujours de cette main ambiguë, peut-être coupable.

— Pour vos pauvres, monsieur le curé. Et mille mercis. Vous m'avez épargné deux grosses heures d'attente.

Il le regarde s'éloigner, un assez bel homme vraiment, jeune, sur lequel on imagine des poitrines de femme qui se pressent, toutes nues, toutes… Mon Dieu ! Sauvez-moi de ma vie !

Dix minutes plus tard, malgré l'heure incongrue, juste avant le repas de midi, le curé Lanthier s'immerge dans la baignoire remplie d'eau froide, armé d'un gant de crin avec lequel il voudrait s'arracher la peau. Mais une image s'impose à lui, en dépit de la violence des frictions, une image avec de longs cheveux mous qui ondulent, des yeux marron trop grands, une bouche sensuelle aux larges dents un peu jaunes, au rire insensé qui coule sur lui comme une bave, ou plutôt un philtre, une eucharistie, un blasphème plein de ciel. Et il y a de grandes mamelles qui bougent, trop blanches sous la peau cuivrée des épaules, des mamelles qui s'abattent comme des caresses, des pluies, des lunes souriantes qui réinventent la rondeur. Plénitude de chute, de douceur. Le voilà de nouveau tout ému, tendu à rompre dans l'eau coupante qui, loin de le calmer, exaspère sa tumescence jusqu'à la crampe. C'est le diable qui bande en lui, qui le possède et le damne, ici et maintenant, dans ce tombeau de métal glacé. Étendu sur le dos, les jambes entrouvertes, il voit au-dessus de lui une vulve rose et noire comme une pentecôte qui s'abaisse lentement vers son désir et sa misère, une énorme fleur qui l'ensevelira dans ses plis souriants, l'enveloppera de sa mort. Oh, mon Dieu ! murmure-t-il, et tout ce qui répond en lui au nom de Dieu s'exténue contre le battement majeur du sang dans son corps, *hoc est enim…*, hoquets de la bête pleine, viande à viol, semence blasphémée.

6

La lumière cruelle de midi, à peine tempérée par une faible brise, cuit tout et semble même infiltrer les ombres massées autour des arbres. Dans l'air blanc, les contrastes s'estompent. On entend les radios et les télévisions des voisins diffuser leurs musiques, entrecoupées de publicités décérébrantes. De plusieurs maisons s'échappent des odeurs de cuisson et des bruits de vaisselle. Chez Lucie, le repas est servi dans la véranda, dont les vastes fenêtres-moustiquaires ouvrent du côté de la rivière. La pièce est attenante à la cuisine où l'on entend grésiller le bifteck haché.

Marie-Laure et Frédérique, les deux filles aînées, font la navette, pieds nus, entre la table et leur mère qui n'en finit pas d'accommoder les hamburgers et de remplir des verres d'orangeade glacée. En sueur, décoiffée, dégageant à dix pas l'odeur fétide de ses récents ébats, Lucie cache mal sa satisfaction à la pensée de la victoire qu'elle vient de remporter. Comment ce bon curé osera-t-il, maintenant, lui faire la leçon ? Comment prendra-t-il le parti du maire contre elle ? D'un seul coup de désir, elle s'est assuré à tout jamais sa complicité. Plus rien à redouter de ce personnage, si humain au fond, avec sa peau grasse de bourgeois. Il lui a même donné du vrai plaisir, avec sa virilité bien conservée et ses désirs tout neufs, toujours émouvants à rencontrer chez un homme de cet âge. Celui-là, il a dû prier plus souvent que se faire plaisir ! songe-t-elle avec un peu de pitié. Maintenant, il est à sa merci. Non pas qu'elle veuille tirer parti de sa faiblesse et obtenir de lui des faveurs indues : elle ne mange pas de ce pain-là. Mais elle peut au moins escompter qu'on la laisse vivre tranquillement avec son petit monde.

— Vous voulez d'autres hamburgers, les enfants ?

La question n'arrive pas à percer l'atmosphère épaisse de paroles, de rires, de bruits de bouche et d'ustensiles qui enveloppe la joyeuse tablée. Un son péremptoire vient tout à coup déclencher l'hilarité.

— Maudit cochon ! lance Marie-Laure, indignée, à Fernand qui exulte.

— Quoi ? C'est la nature ! Tiens, en voilà un autre.

Le tumulte reprend de plus belle et, comme il va s'éteindre, c'est Gervais qui le porte à son comble par un rot de stentor. Désormais, chacun apporte sa contribution à la liesse générale, qui par la bouche, qui autrement. Seules les deux grandes boudent cette gaieté, qui trouve une oreille indulgente chez Lucie.

— Laissez-les s'amuser, recommande-t-elle avec chaleur aux aînées, ça les défoule ! Ils seront plus calmes après.

— Ça n'a pas de bon sens, maman ! Je n'ai jamais rien entendu d'aussi grossier !

— Pauvre Marie-Laure! Ce sont les sœurs qui te montent la tête comme ça ? S'il fallait les écouter, celles-là, on ne s'amuserait jamais.

— Elles ont bien raison de trouver que, nous, les Tourangeau, nous sommes une bande de mal élevés !

— Hein ? Qu'est-ce que tu dis ? Des mal élevés, les Tourangeau ? Tu sauras, ma fille, que la belle éducation, ça ne consiste pas à marcher les cuisses serrées ni à être tirées à quatre épingles. La bonne éducation, c'est une affaire de cœur, de générosité et ça, les Tourangeau, c'est connu, ils ont le cœur sur la main.

— La générosité, maman, quand on est obligé de mendier !...

— Nous ne mendions pas, ma fille ! Nous acceptons la charité publique, c'est autre chose. Mais tout ce que nous recevons, n'oublie jamais cela, nous est dû. Le bon docteur Tourangeau s'est dépensé jusqu'à son dernier souffle dans cette paroisse, le plus souvent pour rien du tout. Ceux qui ont profité de lui peuvent bien, maintenant, nous honorer de leurs vieilles nippes. D'ailleurs, je ne les ai jamais sollicités, ces gens-là. C'est monsieur le curé qui s'est mis en tête de nous obtenir des secours, il lui fallait des pauvres pour exercer sa charité ! Tant pis pour eux. Moi, je ne change rien à ma façon de vivre ni de penser. Personne ne va venir me faire la leçon, compris ? Tu as compris, Marie-Laure ? Tout ce que je te souhaite, c'est de te rendre compte que les sœurs sont des hypocrites et que ma façon de voir est la bonne. Sinon, tu ne seras jamais heureuse dans la vie.

Marie-Laure se retranche derrière sa jolie figure butée. Comme Gervais et Bernadette, elle tient de son père le roux de ses cheveux et son teint de porcelaine. Ses lointaines origines irlandaises lui font une supériorité au sein de cette tribu constituée en majorité de sombres carnations mohawks.

— Marie-Laure, s'enquiert Fernand, qu'est-ce que tu fais, toi, de tes gros pets ? On ne t'entend jamais !

— Pour moi, elle pète dans sa tête, dit Gervais.

— Non, intervient Vincent, grand lecteur de Jules Verne, elle pète plus vite que le son.

L'idée soulève de grands éclats de rire.

— Dans *Autour de la Lune*, explique Vincent, les personnages se demandent pourquoi ils n'ont pas entendu le coup de canon qui les a projetés dans l'espace. C'est comme nous avec Marie-Laure.

— Par ses gros pets, elle nous a tous mis en orbite de la Lune, reprend Gervais pendant que Fernand, mort de rire, tombe de son banc.

Au bout de la table, Corinne et Stéphane assistent, souriants et silencieux, aux bruyants échanges. Devant les quolibets adressés à Marie-Laure, seule une petite lueur de cruauté dans leur regard témoigne de la part qu'ils prennent à la joie générale.

— Vous êtes tous contre moi. Je m'en vais, déclare Marie-Laure qui retire son tablier.

— Je suis avec toi, moi, dit Frédérique qui s'apprête à la suivre.

— Hé ! vous n'avez pas mangé, intervient Lucie. Restez avec nous, vos frères vont vous faire des excuses.

Les deux sœurs quittent dignement la pièce et la gaieté retombe.

— Eh bien ! mes chers enfants, c'est tant pis pour vous. Toi, Gervais, tu vas laver la vaisselle et vous deux, Fernand et Vincent, vous allez l'essuyer.

Des protestations véhémentes fusent. Fernand clame bien haut que son état de santé ne lui permet pas ce genre d'activités et explique objectivement qu'il risque, dans un moment d'emportement, de casser toute la vaisselle. Vincent, pour sa part, fait une allusion à ceux qui sont exemptés de toutes les corvées, visant son demi-frère et sa demi-sœur. Lucie laisse les intéressés se récrier pendant quelques instants, puis coupe net dans leurs jurons. Un certain air qu'elle sait prendre, un de ces airs inspirés qui ont tant fait pour étayer sa réputation de folle, lui obtient le silence et le respect.

— Elle va frapper ! souffle Stéphane à sa sœur, tout bas.

Il est extraordinairement tendu, comme s'il attendait qu'une vieille histoire connue se répète, une histoire où il ne tiendrait pas, cette fois, le rôle de la victime. Sous la table, elle prend sa main et la serre, à faire mal.

— Elle ne frappe pas, elle. Elle étouffe.

7

Mon Dieu ! songe-t-il. Mon saint grand Dieu je t'adore, bénis. Les mots se pressent en désordre, pas une prière, seulement une rengaine obstinée, subconsciente. Étienne est assis sur la banquette de vinyle couleur fraise. Il reçoit les gifles du vent par sa fenêtre grande ouverte. Le tangage qu'impriment au wagon les défauts du rail secoue assez rudement les passagers. C'est l'un des rares points du circuit où le train circule en pleine forêt. Partout ailleurs s'élèvent les maisons de bois des anciens villages et, plus loin, les bungalows et les conciergeries de la proche banlieue de Montréal.

La main en visière pour se protéger de l'air vif et d'éventuels insectes, Étienne regarde défiler le paysage trop connu tout en remâchant son invocation familière. Il pense vaguement aux heures qu'il vient de passer sur le terrain de golf, avec cet homme bizarre qui semblait plus intéressé à la conversation qu'au sport et qui l'a prié de le tutoyer. Un homosexuel, a-t-il cru d'abord, puis il en a douté. L'homme — il s'appelait Raymond — lui a parlé de son fils qui était à peu près du même âge qu'Étienne et qui avait abandonné ses études puis déserté la maison pour aller vivre en ville de la plus horrible des vies, celle de drogué et de prostitué. L'homme en parlait avec un drôle de sourire où on sentait une honte désespérée et un étonnement sans borne de constater que la vie avait pris pour lui cette tournure. Malgré sa douleur, il étalait sans pudeur son infortune et avait si bien accablé Étienne de confidences que celui-ci s'était rebiffé. Il lui avait signifié assez rudement qu'il n'était pas payé pour écouter les lamentations des autres, ce qui avait amené un sourire encore plus marécageux sur les lèvres du malheureux. Finalement, Étienne s'en était tiré avec un excellent pourboire et de sirupeux compliments.

Le wagon, le seul ouvert aux voyageurs, est presque complètement rempli. Étienne occupe, sans y penser, plus que sa portion de l'étroite banquette. Les derniers montés parmi les passagers, redoutant sans doute les réactions hostiles du jeune homme aux épaules larges et à la tenue négligée, n'ont pas osé réclamer la place libre. Toutefois, Étienne sort de sa torpeur en avisant une ravissante jeune fille restée debout à quelques pas de lui. Ce spectacle, ou plutôt cette apparition, développe aussitôt son sens social et même tout son sens de la vie car le voici, en un instant, complètement bouleversé ! Quelque chose, il ne sait quoi, l'a atteint en plein cœur et reste fiché là, vibrant. La jeune fille semble très normalement constituée de deux jambes, deux bras, quelques vêtements, une adorable tête par surcroît ; toutefois Étienne, peu familier des coups de foudre, ressent en la voyant une sensation tout à fait nouvelle, d'une violence inouïe. Est-ce le sourire, la qualité de ce sourire qu'il a entrevu en un éclair ? Ou le parfum qui a bondi sur lui comme une brise enjouée ?

Aussitôt il se fait petit et, d'un regard suppliant, il invite la belle à prendre place à ses côtés. Elle, avec un franc sourire et beaucoup d'aisance, accepte son invitation. Une fois assise, ses genoux gracieux se découvrant au bout de son élégante jupe blanche, elle regarde fixement devant elle. Le train repart avec une douceur, semble-t-il, inaccoutumée. Étienne est de plus en plus remué et fébrile. Il se sent à distance de lui-même, comme s'il était présent à son passé et même à son futur autant qu'à la minute actuelle. Stupidement, avec une grande netteté de sensation, il se revoit enfant, accroupi au-dessus d'une bouteille d'orangeade qu'il emplit de son urine chaude. Des herbes rêches frottent sa cuisse. Il chasse ce souvenir impur et imagine plutôt de grands anges en dentelle, et l'assomption d'une dame tout en bleu. Cela le met sur le chemin de son émotion réelle. Du coin de l'œil, il cherche à constater le miracle. Car un miracle s'est bien produit ; une femme comme il n'en a jamais vu, un concours de grâces inimaginable s'est matérialisé à ses côtés. Il faut, il faut lui adresser la parole pour vérifier que l'instant même est bien rempli des chances qu'il devine, et que le jour vient tout à coup de prendre une très grande allure. L'excitation monte de ses cuisses, de son plexus parcouru de chaudes ondes rythmiques, il se sent agréablement fort ! Fort et beau.

Une soudaine exultation lui met presque à la bouche le cri grotesque, magnifique de Tarzan et il rit, à l'intérieur, il se sent plein de gaieté. Comme un souffle, la parole franchit ses lèvres, sans effort, prévue de toute éternité — car cet instant n'est rien d'autre qu'un accès d'éternité —, et commence autour de l'autre, d'elle, ses arabesques simples.

Elle ne semble nullement incommodée par le besoin de converser de son voisin. Un peu réservée au début, elle lui répond avec beaucoup de gentillesse et s'abandonne, petit à petit, au plaisir de faire connaissance. Étienne lit, dans ses yeux profonds et verts, que son propre visage, sa personne semblent lui être agréables et, tout en prenant conscience de ses atouts physiques, il n'en revient pas de pouvoir exister de la sorte, instantanément pour ainsi dire, dans l'attention d'une jeune fille toute gracieuse, qui ne le connaissait pas il y a dix minutes et qui maintenant, comme une gerbe d'eau, un composé de soleil et de soie, se laisse respirer et connaître à ses côtés. Elle existe et lui existe, ils sont ensemble emportés par une même rage d'acier rectiligne vers le point où ils devront se séparer, à jamais peut-être — mais Étienne se promet bien que non ! Quelque chose de trop fort et de trop vrai se dessine, dans le frémissement des circonstances ; ce qu'il vit depuis quelques minutes est trop étonnant, trop empreint d'absolu et conforme aux mots doux de son cœur, à son invocation au grand doux Dieu saint, pour que des suites ne lui soient pas données.

Jamais, jusqu'ici, le jeune homme n'a éprouvé une telle sensation d'être ravi à lui-même, déporté hors de son univers familier et projeté dans l'inconnu, un inconnu doté d'un corps et d'un visage qu'il lui semble cependant connaître depuis toujours tant ils coïncident avec un appel de tout son être. Comment peut-on ainsi découvrir comme extérieur à soi, en tel point du temps, ce qui représente d'emblée la plus intime certitude ? Ces yeux admirablement verts, verts de mousse et de matin, ces yeux d'une opulence de rêve et de bonté, neufs comme l'eau entre les lèvres du ruisseau, ne sont-ils pas expressément destinés à porter le jour aux profondeurs d'un cœur jusque-là voué aux tâtonnements aveugles dans la nuit ? Étienne se sent tout sombre à côté de cette gracieuse incarnation d'un matin d'été ; tout sombre, et pourtant se lève en lui un souffle de gaieté qu'il n'a guère ressenti depuis les beaux jours de son enfance. Curieusement, sa chair est parfaitement sage et, pourtant, il sent que la gaieté pourrait se déchaîner en bourrasque, qu'un désir souverain pourrait naître de ses cuisses et étendre à tout son corps sa terreur magnifique.

Mais elle est là, si jeune, si fraîche, si belle, si semblable à une fleur dont les pétales de lait exhalent la clarté, veinulés de transparence, couverts de minuscules parcelles de mica, elle est tout un volume de lumière et de sveltesse ; et le gros désir ne peut, devant elle, que se muer en gerbes d'étoiles cristallines, retombant en cascade sur les sables déserts du corps. Étienne ne sera que ciel, dans la mouvance grisante de cet astre ; il laissera, loin derrière, le sol désolé de sa vie.

Le plus étonnant, c'est que l'ivresse qui l'a envahi lui semble partagée. Il ne saurait dire à quel signe il perçoit cette chose étonnante. Mais une certitude intégrale le touche et le transporte : il n'existe plus seulement pour lui mais pour elle aussi, comme elle existe, maintenant et à jamais chevillée en lui, avec sa grâce et sa beauté.

Ils parlent d'abord de choses doucement indifférentes, comme pour tenir à distance les mots qui pourraient engager, alarmer, brusquer ce qui doit rester très secret. Il est plein de précautions, lui qui, pourtant, n'a jamais appris les ruses de la séduction et doit s'en remettre à sa naturelle délicatesse. Il parle, différant d'aborder les questions trop directes, et il entend soudain sa voix comme un chant, mâle et joyeux, accordé à celui de l'autre. Cela fait une étonnante consonance de timbres, montée de leurs deux corps et les appariant.

Elle s'appelle Odile. Elle se rend à Montréal pour sa leçon de piano hebdomadaire chez une vieille dame qui a aussi enseigné autrefois à l'une de ses tantes, et Étienne entrevoit un monde insoupçonné de lui jusque-là, un monde si délicat, où la Beauté a des droits prodigieux.

Quand elle l'interroge sur ses études, sur ses projets, il est mortellement inquiet et, pour s'en tirer, il vient près de recourir à des fables ; mais il recule devant le mensonge car il s'est mis sous sa lumière à elle, source d'aimable et vive vérité. Il la regarde, de la foi plein ses yeux, et il lui laisse entendre simplement que, à cause de quelqu'un qui voudrait bien, qui l'aiderait à vouloir, il pourrait donner un sens à son avenir.

Le train s'engage dans le long tunnel sous la montagne. Il lui semble soudain que le jour a basculé, que le miracle où il vit depuis une demi-heure s'est éclipsé sans laisser de trace. Mais il la regarde, et elle pose sur lui un regard d'une tendre complicité, où il perçoit l'acceptation de ce qu'il est, dans son corps et dans son âme ; et voilà que pour elle il ferait des folies, comme de reprendre ses études et de devenir un autre, un homme propice et vêtu de lumières. Doux grand Dieu ! Que s'est-il passé, en ces quelques minutes, pour que tout son avenir chavire, ou plutôt s'établisse dans sa vraie perspective, et que l'être qu'il était avant, ce matin même, lui apparaisse comme un enfant qu'il a peine à reconnaître et dont le séparent des épaisseurs de grave espoir ?

Ensemble, ils roulent entre les parois lisses du tunnel qu'éclaire vaguement le wagon, bloc coruscant projeté à cent kilomètres à l'heure vers l'autre versant du roc où la ville dispose, sur l'échiquier de ses rues, les hautes tours de verre, d'acier et de granit. Pendant dix minutes, sous la montagne, ils éprouvent, comme une gestation, l'attente du retour à l'air libre, et leurs propos sont devenus plus sérieux et ils ont dressé des plans, se tenant là, moralement agrippés l'un à l'autre, pour ne jamais se perdre et pour fixer le miracle bien en place dans leur vie. Étienne, qui se rendait en ville sans programme précis, accompagnera Odile jusque chez son professeur (en évitant de se montrer devant la maison, pour ne pas alerter l'affectueuse curiosité de la vieille dame), l'attendra dans le petit parc à proximité, puis ils se retrouveront, libres pour le reste de l'après-midi. Elle avait projeté d'aller au cinéma, et il sera facile pour elle d'inventer un emploi du temps si ses parents l'interrogent. Elle n'aura qu'à puiser dans le vaste répertoire des films qu'elle a déjà vus. Mais ses parents lui font confiance et elle ne sera sans doute pas obligée de recourir à son imagination.

Leur projet arrêté, ils se regardent, tout étonnés du chemin parcouru en si peu de temps, à peine plus d'une demi-heure. Ils sont maintenant comme de vieux amis, ils ont toute une épaisseur de passé commun, fabriqué à même leurs plus anciens désirs, les attentes secrètes cultivées à l'abri des affections familiales, les heures ardentes où la chair s'invente des possessions qui agrandissent l'âme et qui la rendent conforme à l'espérance.

Étienne s'étonne toutefois qu'une fille si jolie, si gentille, dont la claire existence semble intégralement lisible dans la grâce de ses traits, ne soit pas davantage courtisée et se découvre à lui disponible, comme si les jeux étaient faits depuis toujours au profit de la minute présente. Comment lui, pauvre et sans avenir défini, peut-il mériter ainsi la place du prince, et quelle pantoufle de vair a-t-il à offrir à la belle ? Il comprend cependant, à partir de quelques mots diplomatiques qu'elle laisse échapper, que les garçons « jusque-là » ne l'ont guère intéressée et qu'elle a consacré tout son temps à ses études. Puis il se repose dans le sentiment enivrant qu'elle donne congé pour lui, et pour lui seul, à ses dispositions austères.

Quand ils sortent du train, il porte la légère serviette de cuir noir de sa nouvelle amie et, entre leurs mots et leurs regards, le jour multiplie ses sourires.

8

Sous la lumière pesante qui assiège les maisons et roussit les pelouses, les bruits de l'été — le hurlement stridulant des hors-bord mêlé à celui des tondeuses, éclats de violence télévisuelle, rares cris d'enfants ou de mères excédées — composent l'exacte réalité de cet après-midi torride. Chez les Tourangeau, depuis plusieurs semaines, la télévision s'est tue sous les bourrades qui invitaient l'image à retrouver de moins sautillantes perspectives. Fernand, d'un coup de pied, lui a administré le sacrement final. Depuis, le silence malsain qui favorise l'éclosion des méditations personnelles a substitué son bourdonnement au tapage médiatique. La maison de Lucie fait comme un trou muet au sein des coquettes villas environnantes. L'absence de bruit rend plus incongrus et inquiétants l'encombrement du terrain et le délabrement de la façade. On sent que des pensées à part pourraient pousser là, à l'abri de l'ordre commun composé, en proportions égales, d'harmonie visuelle et de pollution sonore.

Après le repas, pendant que l'opération vaisselle s'organisait dans un climat de calme relatif, Lucie s'est allongée sur son grand lit, presque nue, avec Bernadette à ses côtés qui s'est tout de suite endormie. Lucie a sommeillé aussi et elle rêvasse maintenant, le regard au plafond, alanguie par la chaleur qu'elle aime bien et qui lui fait comme une omniprésente caresse. Bernadette ronfle tout près, sans culotte, sa petite robe remontée sur son ventre. À son réveil, Lucie l'a admirée pendant quelques instants, émerveillée comme toujours par la chair enfantine, la chair de son enfant pleine de grâce et de santé. Mère, elle aimerait les avoir tous autour d'elle, depuis Étienne au regard noir jusqu'à Bernadette en comptant aussi Corinne et Stéphane, les deux enfants recueillis ; elle voudrait avoir toute sa tribu pleine de grâce, de vérité, de beauté, et que l'heure soit celle de l'innocence, comme au paradis terrestre ; et qu'ils soient là tous ensemble, sans honte, dans l'oblation au regard de leur franche nudité. Elle les verrait tous, dans leur vie : ses mâles aux virilités émouvantes, ses petites femelles aux seins naissants, aux touffes comme des nids lumineux ou sombres. Elle compterait les nombrils, distribuerait les compliments. Toi, Vincent, tu es sérieux et trapu, tes yeux ont la couleur de l'encre qu'ils lèchent dans les livres, tu es solide comme un nœud de racines, et bienheureuse la femme sur qui tu mettras ta patte de roi ! Toi, Étienne, mon grand, tes yeux sont noirs aussi, mais du noir de la nuit, et des étoiles y allument parfois des points d'or car tu es pur, grand, noble, et ton sexe est une grasse cosse gorgée de miel et de sagesse. Frédérique, belle coquine au teint sombre, aux seins ronds que blesse le mauve des larges aréoles, aux yeux où pousse le rêve comme des touffes de joncs reflétées dans l'eau... tu as eu plus que ta part des caresses du père, qui voyait en toi sa papoose adorée à cause de tes cheveux raides et de tes joues colorées de vermillon. Quand il jouait avec toi, il me revenait tout excité et je devais apaiser sa grosse émotion. Marie-Laure, Gervais... vous, vous êtes blancs et roux, comme des allumettes, vos corps secs et anguleux me rappellent Chonchon quand je l'ai épousé, et vos regards verts sont capables de tout, même d'amour quand la grâce vous empoigne. Mais toi, Marie-Laure, tu joues les vierges dédaigneuses; et toi, Gervais... quel forban tu fais derrière ton mince sourire quand tout ton être, d'un cri muet, tend au plaisir ! Je vous connais, je vous aime comme vous êtes, chauds de votre chaleur, nus dans toute votre beauté, pleins de sexe et de douceur, les mains prêtes à fondre le lingot de vos rêves à même le feu de cette vie qui n'a aucune chance d'être belle et juste à moins d'être étreinte à pleins bras, et couchée et violée sous vos ventres plats.

Elle les imagine alors un à un, ses gars et ses filles, qui s'étendent auprès d'elle et, chacun à sa façon, la fécondent de leur jeunesse palpitante, la bourrent de câlineries et d'extase, la rendent vibrante de l'immense amour dont ils sont issus, cellules longuement couvées et multipliées, devenues des mains et des fesses, des salives et des cris, de grands corps véhéments qui font en elle la pluie et le beau temps, un à un, de toute leur chair incandescente.

Puis elle repousse les images. Elle n'a pas vraiment de honte, mais elle sait que ces rêves sont vains, et qu'il ne faut pas mêler l'affection et le désir. Elle ne s'allongera pas avec les siens, ses gars, ses filles, sa chair bien-aimée. Elle ne recevra pas sur sa peau nue leur balbutiant amour. Dieu existe, peut-être, et il veut que l'amour s'écarte des foyers d'origine, embrase d'autres ciels que celui de la naissance. Et si Dieu n'existe pas, il y a encore ce qui fait qu'on l'imagine, avec ses lois bardées de fer. Que le fer tranche ! Qu'il sépare la mère de l'enfant, et ainsi conserve à l'amour la possibilité d'être saint.

À cette pensée, Lucie est remuée de rire. La sainteté ! Elle revoit le curé, un digne homme s'il en est, guindé dans sa charité et ses observances. Ce sont les plus faciles à manœuvrer. Si fausse est leur idée de la vie, si maladive leur conception de la femme que la moindre attaque directe, à saveur de réalité, leur fait perdre tous leurs moyens. Je suis, je suis son orchidée des bas-fonds, sa corolle de boue, son étoile clignotante de passion, je lui apprendrai à distinguer les habitants du ciel des larves de la terre, à faire connaissance avec ici-bas. Elle revoit son visage nu, débarrassé des verres à fine monture qui lui donnent un air civilisé, elle voit ses yeux bleu pâle qui n'arrivent pas à se fixer, affolés par le péché trop doux, trop bon, qui défait tout son courage. Les joues bien rasées sont criblées de poils minuscules, tranchés droit, blancs par endroits, noirs à d'autres, les joues sont un champ blanc et noir, et la lumière rebondit sur cette cire. Le front est dégarni, mais n'a pas pour autant l'air obscène de tant de têtes chauves, au modelé ridicule.

Et puis, cet homme sent le savon de qualité. Un amant propre dans son lit, cela la change de ses partenaires habituels, plus débridés et pas toujours ragoûtants, avec leurs têtes de corsaire. Un curé parmi les corsaires, c'est comme un Pater au milieu des Avé; cela nourrit le cul, se dit Lucie, nourrit le cul de dignité! Elle sourit, un peu effrayée à l'idée de blasphémer et, plus encore, de perdre à jamais un homme de Dieu. Mais non, si Dieu existe, il sauvera bien son serviteur, et il me sauvera moi-même, qui suis une bonne mère poule avec mes poussins autour, et qui ne demande à la vie qu'un peu de joie et de jouissance. Jouir, joie, on dirait le même mot, et c'est ce qui rend la vie supportable, en attendant on ne sait quoi. Une fois mort, on ne jouit plus.

Bernadette, dans son sommeil, fait entendre un doux gémissement et un sourire vient éclairer son visage. Elle est si belle, si rayonnante que Lucie est émue jusqu'aux larmes. Elle se penche sur cet ange dodu, né de sa chair, la contemple amoureusement, souffle très légèrement sur son petit sexe blanc qu'elle se retient d'embrasser à pleine bouche, de lécher, de manger comme une tendre eucharistie. Bernadette bouge, à moitié éveillée par l'afflux de fraîcheur entre ses cuisses, puis retourne dans son rêve rouge, où tout sourit.

❑

— Maman! maman! Viens vite! Corinne est en train de se noyer!

Fernand est là, à la porte, il crie. Tirée de son assoupissement, Lucie prend conscience en une seconde de la situation et se précipite au dehors, à peine vêtue de son soutien-gorge et de sa culotte trouée. Deux voisins accourent, alertés par les cris des enfants, mais Lucie, dont s'échappe une plainte de bête blessée, les précède dans l'eau et se dirige vers l'endroit où elle a vu flotter le corps immobile. C'est au bord du grand remous, où il risque d'être emporté vers les rapides. Elle fend l'eau avec célérité, en nageuse experte, cependant son affolement se traduit par quelque fébrilité. Une fois sur place, elle regarde éperdument tout autour, puis elle plonge.

Pendant deux longues minutes, l'eau reste refermée comme un couvercle sur son mystère, on ne voit rien paraître du destin qui s'y ébauche. Les voisins, pendant ce temps, sont allés chercher leur barque et ils progressent maladroitement vers la scène du drame. Puis on voit remonter, vers la droite, une forme grêle, et Lucie, à plusieurs mètres de là, émerge de l'eau, à bout de souffle. On lui crie des indications en pointant du doigt la chose qui flotte. Elle finit par comprendre et se dirige vers le corps, qu'elle atteint juste au moment où il va de nouveau disparaître. Le bateau arrive peu après et on y hisse la fillette, puis Lucie épuisée. On s'empresse de revenir au bord et Lucie, tout de suite remise, se précipite vers un coin de pelouse avec le corps inerte pour lui administrer les soins requis. Elle étend l'enfant sur le ventre et lui fait rendre l'eau tout en activant sa respiration par des pressions sur les omoplates. Avec un sombre acharnement, sans dire un mot sauf pour défendre aux voisins d'alerter la police, elle pétrit le corps, sûre de rallumer la petite étincelle au bout de ses mains faites pour étrangler ou pour sauver. Autour d'elle, il y a

Fernand, Vincent, Stéphane qui contemple sa sœur avec une sorte d'effroi sacré, et les deux grandes, Marie-Laure et Frédérique, qui cherchent à calmer Bernadette secouée de gros sanglots. Ils sont partagés entre le sentiment que Corinne les a quittés pour toujours, que son âme est restée au fond du tourbillon, séparée à jamais du corps trempé et plus blanc que le savon ; et celui que leur mère, Lucie, est capable de faire échec au malheur, rien que par ses grands bras raidis qui enfoncent le souffle dans l'enfant, qui le forcent à reprendre la besogne de vivre.

L'opiniâtreté maternelle triomphe finalement. Au bout de dix minutes interminables, on entend un petit gémissement, et des larmes se mettent à couler à profusion des yeux fermés. C'est alors une explosion de joie et Lucie, de sa voix chaude et riche en harmoniques, s'écrie sous les grands arbres :

— Merci, mon Dieu ! Je savais que vous ne laisseriez pas mourir l'enfant !

Mais Stéphane, qui a collé son visage contre celui de sa sœur, l'entend murmurer :

— Maudite folle !… Je voulais me noyer… Je serais si bien, noyée…

Aux voisins qui, le danger passé, veulent se retirer, de plus en plus gênés par l'indécence objective de Lucie qui n'a pas encore pris conscience de sa quasi-nudité, cette dernière confie, pour bien montrer que l'ordre des raisons pratiques est revenu :

— Ah ! j'espère qu'elle n'en gardera pas la peur de l'eau !

9

Après la leçon, qui avait lieu dans une étroite et vénérable maison de la rue Sherbrooke, un peu à l'ouest de la rue Atwater, Étienne rentre dans son bonheur en retrouvant auprès de lui, dédiée à lui, la claire présence d'Odile. Comme il se trouve changé, différent du jeune homme sans lendemain, empêtré de rancœurs et de petit désespoir, qu'il était ce matin encore, assis sur son mauvais matelas dans la chambre maussade ! Son cœur se serre à la pensée de son chez-soi, où il voudrait ne plus jamais retourner. La pensée de ses frères bruyants, de ses sœurs, de sa mère débraillée, de la basse familiarité qui les tient sous un même toit, à déguster des joies indignes, le rend étranger à ce qui a été sa vie et lui inspire le goût d'une existence nouvelle, complètement coupée de son passé, bâtie à même l'amour qu'il sent affluer dans tout son être. À côté de lui, avec ses longs cheveux chatoyants, son regard si merveilleusement amical et pur, son nez adorable, sa bouche qui dessine un arc léger, son menton qui avance un peu, donnant du caractère à tout le visage, mais surtout cet air de gentillesse et d'intelligente douceur, cette noblesse sans apprêt, *elle* est ce qu'il n'a jamais espéré rencontrer un jour et qu'il a simplement entrevu parfois dans les films à la télévision, elle est la jeunesse et la beauté, la tendresse et la simplicité poussées ensemble, enlacées, loin des tourments et des laideurs sociales qui défigurent. Le raffinement ! Elle est raffinée de naissance, se dit Étienne, elle a grandi parmi les choses belles, contrairement à ses propres sœurs, Marie-Laure surtout qui voudrait tant se conformer au goût étriqué des religieuses qui l'instruisent, mais dont la nature fruste, comme son teint insolent de rouquine, perce sans cesse sous la distinction apprise.

— Où allons-nous maintenant ? demande Étienne après qu'ils ont fait quelques pas au hasard.

— Allons sur la montagne !

La main dans la main, ils entreprennent gaiement la marche qui les mènera sur la Côte-des-Neiges, là où débouche un des principaux sentiers de la forêt. La chaleur intense est un peu tempérée par la brise, à flanc de montagne, et ils prennent soin de se tenir à l'ombre des maisons et des grands arbres. Plus ils s'élèvent, plus ils découvrent derrière eux l'immense paysage ensoleillé, la marqueterie des toits au loin se mêlant aux verdures, le fleuve allongeant sa ligne calme dans une vapeur de lumière qui brouille un peu l'horizon, mais laisse transparaître le profil fantomatique des premières Montérégiennes.

— On voit les monts Saint-Bruno et Saint-Hilaire, dit Odile en les pointant du doigt. Y es-tu déjà allé ?

— Non... Je connais un peu la campagne autour de chez moi, jusqu'à Oka, et je connais assez bien Montréal, mais je n'ai jamais voyagé. Tu sais...

Il la regarde, d'un air embarrassé. Elle lui sourit si cordialement qu'il trouve les mots de la confidence.

— Mes parents ne sont pas très riches. D'ailleurs... ils ne vivent plus ensemble. J'appartiens, comme on dit, à un milieu défavorisé.

Il y a, dans cette espèce de big-bang du premier amour, une vélocité de sentiment qui permet d'embrasser les multiples aspects d'une situation personnelle et familiale, même les plus délicats, si grandes soient les réticences qu'on éprouve à le faire en temps normal. Une grâce active décide des propos, porte la lumière dans les coins sombres, communique cette éloquence qui fait tout comprendre en peu de mots et se dépêche vers un point final qui prend la forme d'un baiser. Au terme des premiers engagements amoureux, un dévoilement des âmes est visé, opération qui laissera ensuite le champ libre au merveilleux désir et aux extases lumineuses du corps.

C'est vers cette transparence des âmes qu'Étienne et Odile se dirigent à pas lents, dans l'ombre luisante des grands arbres où écureuils et oiseaux dressent leurs furtives embuscades. Étienne évoque sa famille nombreuse, l'attachement qu'il lui voue, mais aussi son exaspération, son goût de fuir pour échapper à la fainéantise et aux perspectives d'avenir mesquines que lui impose sa mère. Odile, de son côté, parle de l'affection sourcilleuse de son père, qui la considère encore comme une petite fille, et de la personnalité effacée de sa mère, qui a voué sa vie au service de son mari et à l'éducation de ses enfants. Sa mère a une nette préférence pour Simon, l'aîné, qui étudie maintenant aux États-Unis et compte se spécialiser en neurochirurgie. Quant à son père — l'a-t-elle mentionné ? —, il est avocat pour une importante compagnie de produits pharmaceutiques.

— Et, tu vois, conclut-elle, l'argent, ce n'est rien. Pour vivre avec... l'homme que j'aime, je laisserais tout derrière moi. La vraie richesse, c'est le cœur.

Étienne sourit tristement.

— Les choses ne sont pas aussi simples...

Ils se taisent un moment, puis il reprend, vaincu par la joie.

— Comme il fait beau ! Comme la lumière est émouvante à travers les feuilles, avec ces chants d'oiseaux, ce calme extraordinaire ! On se croirait loin de la ville, loin de tout, seulement nous, avec nos bras, nos mains... Quand tu souris comme cela, j'ai l'impression qu'il y a du ciel sur la terre. Tu es un ange, tu sais, mais bien mieux qu'un ange.

— Je l'espère ! fait-elle. Les anges doivent être d'ennuyeuses créatures. Ils sont sûrement incapables de savourer un moment comme celui-ci. Tu vois ces arbres, tout droits, si lourds — et pourtant, on dirait qu'ils n'ont pas de matière, qu'ils sont de simples illusions. Des illusions qui pèsent... Ma foi, je délire ! Les anges aussi sont sans matière, mais, eux, ils ne pèsent rien, ils ne sont ni chauds ni froids et leur main n'a aucun volume, aucun...

Elle s'arrête et, dans ses mains, prend celle d'Étienne, très sérieusement, puis elle porte la grande paume carrée à ses lèvres. Il est très ému, d'un coup, et son sexe tend si visiblement son jean qu'Odile, un peu confuse, met fin à sa caresse.

— Il ne faut pas... il ne faut rien précipiter.

Complètement bouleversé, Étienne trouve quand même la force de rire.

— Non... Non, mon ange !

Elle soupire.

10

C'est l'heure où Lucie, d'habitude, vêtue de son maillot fleuri, descend vers l'eau et, après un ostensible signe de croix, entre dans la nappe vivante, étendue comme pour elle par des mains qui la lissent à contre-courant. Aujourd'hui, toutefois, elle n'ira pas nager à longs gestes lents, ni se tenir droite au-dessus du gouffre en rêvant des morceaux d'intimité que les riverains lui ont confiés à jamais, vieux réfrigérateurs, cuisinières, matelas ou sommiers hors d'usage. Ce soir peut-être, une fois le calme revenu dans la maison et dans son cœur, elle ira goûter sa détente préférée, nue sous la lueur complice des étoiles. Mais rien ne vaut la baignade de cinq heures, quand le vent est tombé et que l'eau est un grand miroir mou qu'on fend comme un ciel à l'envers, parmi le ballet des hydromètres. Lucie est si attachée à ce rite qu'elle vient tout près de succomber à son appel. Un regard sur la mince forme recroquevillée qui repose dans le grand lit chasse vite la tentation. Quelle pâleur ! Quelle maigreur, surtout ! On devine, sous la peau trop fine du visage, le squelette délicat. Cette enfant serait belle sans la totale absence de joie qui creuse ses joues, modèle ses traits à l'image de la nuit perpétuelle. Quelle mémoire amassée dans sa tête lui interdit tout sourire ? Jamais Corinne n'a fait la confidence, à sa nouvelle mère, des sévices subis durant sa première enfance. Lucie a seulement entendu parler, par la rumeur publique, des longues heures que les deux enfants ont passées, cruellement ligotés à un sommier, mais elle soupçonne bien d'autres violences, pas seulement physiques. Le ménage vivait de bien-être social et, pour payer la drogue, la mère se prostituait.

Devant cette enfance abîmée, le cœur de Lucie se serre comme si elle était elle-même en cause, et que l'aveugle injustice du monde eût abattu sur elle son poing de fer. Tout ce qui touche aux premières années de la vie la trouve vulnérable et prête aux plus grands dévouements. S'il est en elle une vocation susceptible d'éclairer sa confuse existence et de lui dicter des décisions droites, c'est bien celle de mère, et elle ne comprend pas qu'une femme puisse perdre le sens moral au point d'abandonner ses enfants. Elle n'admet pas davantage — voilà le grand leitmotiv qui, à l'occasion, la transforme en féroce militante et lui fait faire le voyage à Montréal, confiant les plus jeunes à la garde des aînés — que des jeunes filles imprudentes ou abusées puissent faire extraire d'elles le germe d'une destinée humaine, comme on se fait enlever l'appendice ou une dent malsaine. Où s'en va donc l'humanité, Seigneur, si les fondements mêmes de la société, de la famille, sont remis en cause, et si la charité n'ordonne plus les rapports des humains entre eux ? Les bourgeois auront beau aligner toutes leurs horribles raisons pratiques, Lucie est pour la vie et vous ferait mettre en prison les avorteurs, au même titre que les autres meurtriers. Quelle abomination, que la légalisation du pire crime qui soit ! Couper une vie avant même qu'elle n'ait pu éclore, la priver de toute chance de se développer et de s'affirmer, écraser la fleur dans son intégrité de bouton !

Devant la pâle enfant qui respire à peine, les yeux obstinément fermés sur une détresse installée en elle à demeure, Lucie demande au ciel l'inspiration qui lui permettra de chasser cette misère et de faire naître la joie et la confiance là où se tord de douleur la bête blessée.

À la porte de la chambre, elle entend un petit bruit et aperçoit Stéphane, discret comme toujours, qui la regarde d'un air indécis, comme s'il craignait les conséquences du moindre geste.

— Viens, Stéphane, approche-toi, invite Lucie à voix basse. Viens voir ta petite sœur. On dirait un ange !

Il se place timidement à côté de Lucie, qui fait figure de géante avec sa forte stature et ses chairs opulentes, et il se penche sur le visage de Corinne. Émue, Lucie met ses mains sur ses deux frêles épaules et le presse contre elle. Il s'abandonne un peu, mais semble prêt à s'envoler au moindre relâchement de l'étreinte. Après quelques instants, elle s'aperçoit que, sans un sanglot, sans un gémissement, il pleure de ses deux yeux ouverts ; la source des larmes distille une douleur si désespérée qu'elle se perd goutte à goutte dans les sables du silence. Quelle prière à Dieu pourrait abolir tant de souffrance et faire briller le jour dans ces jeunes âmes qui n'ont jamais connu le matin ?

Un bruit puissant et grotesque déchire soudain la pénombre. Il vient de la rue et Lucie s'indigne de ce klaxon qui menace de troubler le sommeil de la petite. Elle confie sa garde à Stéphane et s'élance hors de la maison. Cornant sans arrêt, une voiture garée en haut du terrain subit l'assaut enthousiaste de la tribu des Tourangeau.

— Arrêtez ! arrêtez ! implore Lucie, il y a un malade qui dort !

Sa voix ne perce pas le vacarme, mais Fernand et Vincent l'ont aperçue et se pendent à elle pour lui expliquer le prodige. Elle rejette si catégoriquement les démonstrations de gaieté qu'elle parvient à fixer l'attention. Le klaxon délirant s'étrangle dans un dernier coup de gueule.

— Voulez-vous cesser votre tapage ! Votre petite sœur Corinne essaie de dormir. Et toi, Gervais, qu'est-ce que tu fais au volant de cette voiture ?

— Corinne est malade ? s'enquiert Gervais.

— Oui, elle a failli se noyer. Nous l'avons sauvée de justesse. Penses-tu que le moment est bien choisi pour nous arriver avec tes fantaisies ? Que fais-tu dans cette vieille voiture-là ?

— Ça, maman, c'est la voiture à Denis. Il me l'a prêtée — hein, Denis ?

Le gros garçon, assis à droite, opine silencieusement de la tête.

— Denis, poursuit Gervais, travaille au garage Carrier. Il a acheté cette antiquité-là pour cent dollars et il l'a toute réparée. Une vraie voiture de collection ! Elle ne roule pas comme une neuve, mais presque. C'est une Durand des années quarante. Elle vient d'un vieux qui l'avait dans son garage.

Lucie examine, perplexe, l'intérieur sordide à force de vétusté et de poussière.

— Mais, toi, tu n'as pas de permis de conduire.

— Non, mais Denis est là, juste à côté. Lui, il a ses papiers — hein, Denis ?

Denis hoche la tête, en regardant Lucie de ses yeux vides.

— Et s'il arrive un accident ? Si vous vous faites arrêter par la police ?

— Bien, voyons ! Il n'y a pas de danger, maman. D'abord, je conduis comme un as. Et puis, si ça arrive, comme je te dis, Denis est là. Nous n'avons qu'à changer de place l'un et l'autre. Ne te fais donc pas de souci pour rien.

Lucie reste quelques instants hésitante, puis se laisse gagner par la compréhension. Il a l'air si content, Gervais, si fier, comme s'il conduisait sa première voiture à lui ! Elle ne peut s'empêcher de sourire, et conclut :

— Bon, c'est d'accord, mais promets-moi de ne pas faire de folies.

— Hourra ! crient les enfants qui entrevoient des heures de promenades excitantes.

— Pas si fort ! Corinne dort ! Et je te défends, Gervais, me comprends-tu ? je te défends de faire monter tes frères et tes sœurs dans cette affreuse bagnole.

Les protestations sont si vives que la pauvre Lucie doit battre en retraite.

— Bon, d'accord, d'accord, mais s'il arrive quelque chose, ne comptez pas sur moi pour vous plaindre !

Les acclamations fusent, réduisant à néant les dernières chances de sommeil de Corinne.

11

Quand il en a par-dessus la tête de travailler à ses « catins » — Chimères signées Chonchon ! quel destin ! — et de guetter le client, touriste condescendant ou petit-bourgeois courant pour son enfant la bonne affaire snob qui fera râler d'envie voisins et amis, Chonchon soi-même en personne ouvre le tiroir de son bureau, en tire la bouteille verte à étiquette blanche et rouge dont la vue seule produit une crispation de plaisir dans la fressure, plus précisément dans la région du nombril qui doit être bien sec puisque sa réhumectation est une tâche qui offre peu de chances d'aboutir un jour ! Il porte le goulot à ses lèvres, et le bon, le gros gin coule alors dans son gosier, brûlant, vivifiant, drainant la tuyauterie tout en procurant la sensation d'un petit coup de poing au sommet du nez, propre à éclaircir les idées dans la cervelle. Ah ! la miséricordieuse lampée, qui vous nettoie du dedans la carcasse et la laisse toute plate, adolescente, praticable pour les caresses à ongles trop rouges, couleur de sang frais, les ongles de vamp de ma vampire — vampire signée Chonchon !... Le gros gin descend, ruisseau de fin tonnerre, jusque dans les parties, comme fait l'eau dans les poupées, on leur donne le biberon et c'est immédiat, je t'imbibe et tu m'imbibes, et moi je suis tout de suite parcouru de la tête aux pieds par la caresse liquide, et mon merveilleux organe reproducteur attend la caresse des ongles carminés, ma Vanessa, ma délicieuse putain à moi pleine de petits cris d'amour, où es-tu ma mie ? C'est vrai, tu arrives seulement à sept heures, j'oubliais ta séance de vidéo et j'espère que tu t'amuses bien, avec tes gars costauds. Je les tuerai tous un jour, mais ça ne presse pas ; quand tu jouis bien de leurs grosses queues, tu me viens toute bandante après, tu me charmes d'ensorcelantes caresses et c'est comme si je te voyais en vidéo, souriante, active sur ma poitrine maigre que sillonnent tes ongles comme des plaies fraîches, cuisantes.

À la pensée de Vanessa, de sa chair crème aux mains des joyeux violeurs, il bandouille un peu lui-même puis s'envoie un autre trait de gin. Ha ! Voilà qui guérit de tout, même de la honte. Du reste, Chonchon n'est pas doué pour les gros sentiments. Il y a longtemps qu'il a pris son parti de certains défauts, sa faiblesse, son indolence, une indéniable lâcheté devant la souffrance, la fuite des responsabilités, l'absence. L'absence surtout. Chonchon n'y est pour personne. Vous frappez à sa vitrine renfrognée, les stores aussitôt se referment, les prunelles se voilent, un air de subtile bêtise s'étend sur la face depuis le front dégarni, ridé, obscène, jusqu'au menton involontaire. Où est l'auteur de tant de fantaisies amicales, qui ont enchanté les enfances de leurs mines impayables, cochons-pingouins aux yeux multiples, casoars-pompiers, Mistinguettes aux trois derrières ? Il a même rendu aimables des atrocités, désamorçant l'horreur, bénissant la sottise, tirant parti de tous les ratés du système. Ses clients se montrent toujours séduits par ils ne savent quelle question que posent, de leur air glauque, ces peluches débraillées ; question aussitôt renfoncée dans la calme certitude qu'il n'y a pas de réponse, que l'enfance est un rite de passage merveilleux et mène droit à l'absolution universelle. Ami des petits, Chonchon est le grand contempteur des parents, surtout ceux qui exigent la chimère la plus coûteuse, la plus « signée Chonchon ». Ils partent avec des morceaux de son rêve, comme les chrétiens avec du bois de la vraie croix. Mais son rêve est inépuisable car l'argent, il n'y a pas à dire, le fertilise — le gin aussi. Son inspiration tous les matins se dresse entre ses mains, pas très différente, en somme, de celle qu'éveille le beau corps de Vanessa chez ses copains vidéastes.

Il faut bien vivre. Il faut bien vendre un peu de rêve contre le plus de sous possible, étant entendu qu'il n'y a jamais assez de sous pour calmer les grands dégoûts.

Il sera bientôt sept heures. Chonchon n'a pas le courage d'entreprendre un nouveau travail et il se contente d'attendre le client, plutôt improbable en cette période. Voici pourtant une femme, elle est dans la cinquantaine, une renifleuse sans doute, qui posera beaucoup de questions et que les prix décourageront.

— C'est vous, monsieur Chonchon ?

— À votre service, madame.

— Ouais ! Vous êtes poli, vous ! Ce n'est pas votre vrai nom, ça, « Chonchon » ?

— En effet, aucun saint, que je sache, n'a porté ce nom-là. C'est un sobriquet.

— Un so... un so... Qu'est-ce que c'est, votre vrai nom ?

— Dites-moi, chère madame, êtes-vous à l'emploi de la Gendarmerie royale ? ou du ministère du Revenu ?

— Ne vous fâchez pas, je voulais savoir. Comme ça, c'est vous qui fabriquez ces bébites-là ?

— Comme vous dites, fait l'artisan qui sent le gin lui remonter au gosier en petites explosions acides.

— Bien cute ! Tiens, cette catin-là, ça ressemble à mon mari.

— Désolé.

— Vous dites ?

— Rien... Voulez-vous faire un cadeau ?

— Non, non. Je n'ai pas l'intention d'acheter, si c'est ce que vous voulez savoir. En passant devant votre porte, j'ai lu : ENTREZ, et je suis entrée. C'est tout.

— Eh bien, madame, rien non plus ne vous empêche de sortir, même sans invitation écrite.

— Ah tiens ! vous êtes moins poli que tout à l'heure. Il me semblait, aussi, que vous aviez un petit air hypocrite.

— Et vous, madame ?

— Quoi, moi ?

— Votre air ? Je préfère l'air que j'ai à celui de vieille éponge sale qui traîne dans une baignoire pleine de merde et de vomi que vous avez, madame.

— Hein ?

— Je n'ai pas de temps à perdre avec des toquées de votre espèce.

La grosse femme, suffoquée et un peu inquiète, décampe en marmonnant des injures :

— Un vrai fou, ce gars-là ! Un maudit épais ! Traiter ses clients comme ça ! S'il pense que je vais l'encourager, il se met les doigts dans l'œil ! J'ai jamais vu ça !

En sortant, elle se heurte à un jeune couple qui s'écarte pour la laisser passer. Chonchon jette un coup d'œil sévère sur les nouveaux arrivants, puis la surprise lui fait ouvrir tout grands les yeux.

— Étienne ! Sacrament, de la visite rare !

— Bonjour, papa. Euh... papa, je te présente Odile, mon amie.

— Eh bien ! Pour une surprise ! Depuis quand sors-tu avec les filles, toi ? Et une belle, à part ça !

Odile tend la main à Chonchon, mais celui-ci, plein d'affabilité, l'embrasse sur les deux joues.

— Moi, des belles jeunesses comme ça, il faut que je les embrasse !

Les deux jeunes rient, puis Étienne explique :

— Nous passions pas loin et Odile avait envie de voir ton atelier.

— Oui, fait-elle, un des plus beaux cadeaux que j'ai eus, quand j'étais enfant, c'est une de vos fameuses chimères, monsieur Tourangeau, une petite bonne femme à plusieurs nez, dont la poitrine ressemble à un vieux poêle à deux ponts et le bas du corps, à un aspirateur dont s'échappent plusieurs tentacules. C'est drôle comme tous ces éléments sont différents et, pourtant, ils vont parfaitement ensemble, on dirait que cette chose-là existe dans la réalité.

— Ah ! là, vous me faites plaisir, dit Chonchon en se rengorgeant, vous me faites un grand plaisir. J'aime bien ça, rencontrer des personnes qui ont vécu avec mes monstres, les ont hébergés, s'en sont fait des amis...

— Ce ne sont pas des monstres ! proteste Odile. C'est même tout le contraire.

— Comme elle est gentille, Étienne, ta petite amie ! Vous vous connaissez depuis longtemps ?

— Depuis ce matin. Nous nous sommes rencontrés dans le train.

— Eh bien ! On dirait que vous avez été tricotés ensemble.

Étienne sourit largement. Il appréhendait cette visite, mais il se rend compte qu'il avait tort. Il respire à l'aise, dans cet atelier qui revêt un intérêt nouveau pour lui. Petit, quand il y venait, il s'amusait des faces baroques, des bouffonneries transcendantes que fabriquait son père avec son air sérieux, plutôt maussade, en éclusant son eau de feu à même la bouteille verte. Étienne avait goûté un jour au gros gin et il avait pensé mourir. Les fois qu'il était venu, il s'était surtout ennuyé à attendre que sa mère passe le reprendre. Elle et lui repartaient, chargés de paquets qui provenaient des grands magasins. Ces excursions en ville étaient possibles parce que grand-maman Lintvelt, qui n'était pas encore à l'hospice, gardait les plus jeunes. Maintenant, il y a longtemps que Lucie ne fréquente plus les magasins. Les maternités s'accumulant, elle s'est drapée à tout jamais dans la pauvreté, qu'elle porte avec désinvolture. Fière de son grand air de santé, elle se soucie peu des nippes qu'elle a sur le dos et qui parfois, par leur généreux débraillé, l'apparentent aux « Chimères signées Chonchon ».

— Formidable, monsieur Tourangeau ! s'exclame Odile, que chaque personnage ravit. Je me demande comment vous arrivez, seulement avec de la peluche, à créer toutes ces apparences si diverses. On dirait que les trois règnes sont réunis : animal, minéral, végétal...

— Ça, ma petite demoiselle, la peluche, c'est ma spécialité. D'une part, je veux faire des objets que les enfants peuvent caresser sans se faire mal. D'autre part, même les pires horreurs, quand c'est en peluche, deviennent sympathiques. Quand c'est doux pour la main, c'est doux pour le cœur.

— Je sais, moi, où papa trouve son inspiration, dit Étienne en riant. Là-dedans !

Il prend la bouteille, la débouche et boit une petite gorgée.

— Étienne, mon vlimeux ! Regardez-moi ça : aucun respect pour son vieux père ! Veux-tu faire croire à mademoiselle que je suis un ivrogne ?

— Non : un alcoolique.

— Hé ! Vanessa, tu entends ça ?

Le nom de Vanessa crée une surprise et on se retourne vers la nouvelle venue. Sa blondeur excessive, son épais maquillage la désignent d'emblée comme une professionnelle du plaisir. Étienne, qui a entendu parler d'elle par sa mère en termes peu flatteurs, fait un effort pour être aimable.

— Bonjour, madame.

— Lâche les cérémonies, fait Chonchon, c'est Vanessa. Vanessa, je te présente mon fils, Étienne, et sa belle petite amie, Odile.

Vanessa les salue avec un sourire intimidé et se réfugie auprès de Chonchon.

— Alors, tu t'es bien amusée ?

— Oui, fait-elle, embarrassée.

— Vanessa est une actrice, explique-t-il. Elle fait de la vidéo. N'est-ce pas ?

— Oui.

La pièce est embaumée maintenant du parfum vanillé que diffusent les chairs indiscrètes de Vanessa. Sous son apparence tapageuse, on devine une femme plutôt timide et d'une grande gentillesse. Son éclat vulgaire est néanmoins aux antipodes de la fraîche beauté d'Odile, et celle-ci n'arrive pas à se composer une contenance. Un certain malaise s'installe, et Étienne rompt le silence en déclarant :

— Eh bien, Odile et moi, nous n'avons pas encore mangé. Nous allons vous laisser.

Chonchon et Vanessa leur offrent de souper avec eux, ils feront venir quelque chose, mais Étienne refuse et ils n'insistent pas. Chonchon glisse alors un billet de vingt dollars dans la main de son fils, qui se montre très froissé puis finit par l'accepter. C'est avec soulagement qu'il se retrouve dans la rue, mais il s'inquiète des réactions d'Odile. Celle-ci, qui devine sa gêne, lui adresse un grand sourire rassurant.

— Elle est très gentille, dit-elle.

— Ouais ! Tout à fait le genre de fille pour mon père, en tout cas.

— Il est bien gentil, lui aussi.

— C'est un faible. Et puis, c'est un monstre d'égoïsme. Il ne pense pas plus loin que le cul de sa bouteille, dit-il en faisant le geste de boire au goulot.

Mais il se reproche aussitôt sa sévérité et sa grossièreté. Que va-t-elle penser de moi ? Il ne faut pas juger son père. Contrarié, il prend une longue respiration puis s'arrête, regarde Odile dans les yeux, marie son sourire au sien pendant que la douce vibration du désir monte en lui, déjà chargée de souvenir.

Cet après-midi, sur la montagne, après avoir échangé leurs passés sous forme d'histoires amères et douces où les parents étaient tout de même épargnés, ils ont exploré des coins déserts et osé leurs premières caresses, étonnés d'être si vite arrivés au point de la fièvre partagée sans avoir pour autant brûlé les étapes. Leurs dix-huit ans, malgré leur inexpérience d'enfants sages, donnaient quelque chose de décidé à leurs émotions et les dirigeaient vers la conjonction des gestes, le doux frôlement en tempête de leurs corps. Ils n'ont pas risqué les attouchements majeurs, ceux qui déclenchent les engagements irréversibles ; mais leurs mains ont glissé jusqu'au bord de l'interdit puis sont remontées vers leurs clairs visages. Leur possession s'est limitée à celle des regards et des lèvres et, embrassés, ils se sont longuement enivrés l'un de l'autre.

Puis Odile s'est souvenue de son train et ils ont commencé à redescendre. Mais, en chemin, elle a déclaré :

« Et puis, zut ! Je ne suis plus une enfant, je rentrerai plus tard. Seulement, je dois prévenir mes parents pour qu'ils ne s'inquiètent pas. » Elle s'est arrêtée à une cabine téléphonique et Étienne l'a vue s'expliquer, non sans difficulté, puis raccrocher d'un geste un peu sec. « Ils n'ont pas l'habitude », a-t-elle fait en riant. Ils ont établi alors le programme des prochaines heures. « Ne m'as-tu pas dit que ton père avait son atelier dans le Vieux-Montréal ? » Étienne n'a guère manifesté d'enthousiasme, mais il s'est rappelé la surprise ravie d'Odile quand il lui avait parlé de l'artisan fameux, et il a consenti à cette visite tout en la prévenant. « Tu sais, mon père est un véritable bohème… un peu porté aussi sur la boisson. » Ils ont décidé d'aller voir tout de même, et de s'éclipser en cas de conjoncture difficile.

Leur visite se solde par un bilan somme toute positif. Odile a contemplé l'antre où se fabriquent les adorables chimères ; et leur créateur, entrevu en superposition avec le clair filigrane d'Étienne, lui a paru plutôt sympathique. Les artistes, après tout, ont leurs fantaisies. Et puis, ce merveilleux débraillé qui est le style même des peluches signées Chonchon doit bien avoir son fondement dans la vie de celui qui les conçoit. Voilà ce qu'elle explique à son Adonis un peu mohawk, si différent par son corps élancé et la beauté sombre de ses traits de l'identité chauve, irlandaise et passablement défraîchie de son père.

12

Grand saint grand saint grand Dieu, psalmodie Étienne dans sa tête. Il marche sur les traverses, entre les rails que des réverbères éclairent de loin en loin. Le plus souvent, il y voit à peine, mais une sorte d'instinct le guide et l'empêche de se fouler une cheville. Il danse presque, tant le transporte sa joie ; et un émoi souverain, fait de tous les élans refusés de sa chair au cours de cette journée, le tend à éclater. Il cherche à se contenir, puis doit céder à la pression de son émoi. Il s'arrête et, doucement, en purifiant à mesure ses gestes par la pensée de la sainte union qui, chair à chair, le conjoindra un jour à Odile, il se caresse jusqu'à l'extase, longue à venir. En jouissant, il gémit le nom de Dieu mêlé à celui de la divine amie, la fille au visage adorable qu'il a quittée tout à l'heure, à quelques pas de sa maison, et qu'il a embrassée en parcourant des mains ses épaules, son dos, puis en ramenant une main vers ses seins, qu'il sentait nus sous la chemise ; ses seins dont il a effleuré la pointe dure à travers le mince tissu. Et elle, de sa paume, a touché le jean gonflé puis s'est arrachée à lui. « Salut, mon prince, a-t-elle dit, à demain ! »

Ils doivent se retrouver au terrain de golf, celui même d'où Étienne, au début de la stupéfiante journée qui s'achève, est parti à l'aventure. Le vaste espace vert est situé à deux ou trois kilomètres seulement de chez elle. L'idée d'un tel rendez-vous leur est venue par hasard, et Étienne s'est écrié : « Tu joues au golf ? » La pensée qu'il avait pu la croiser en des temps où il ne la connaissait pas le renversait. « Très mal, en vérité. Je n'ai aucune disposition. Ce sont mes parents qui m'ont poussée à m'inscrire. Ils trouvent que je ne fais pas assez d'exercice. Je pense plutôt qu'ils songent à mon avenir et que le terrain leur semble un lieu de rencontre intéressant... » Les mots ressouvenus se bousculent dans la tête d'Étienne, pendant qu'il finit de s'apaiser.

Puis il se remet en route. Au bout de quelques minutes, il arrive justement aux confins du terrain de golf et décide d'y poursuivre sa marche. Il escalade la clôture en mailles d'acier, comme il l'a fait si souvent quand il était enfant, et se retrouve sous les grands pins qui bordent le domaine. L'ombre, très opaque, y a quelque chose d'effrayant, mais le parfum intense de résine le rassure et le détend. Au ciel, pas une étoile. De sourds grondements annoncent l'orage, gros des moiteurs de la journée. Étienne, même en courant, ne parviendra pas au pont avant dix minutes. Il s'écarte de la ligne des pins et prend sa course sur le terrain, où il peut se déplacer plus à l'aise. Après quelques instants, il sent les premières gouttes et, tout de suite, la pluie s'abat avec force. Il revient sous les arbres, qui se découpent avec netteté dans l'embrasement du ciel. L'intervalle entre les éclairs et le tonnerre est encore considérable. Pour gagner du temps, il retourne sous la pluie, qui a tôt fait de le tremper de part en part. Une espèce d'ivresse s'empare de lui, le poussant à lancer à fond la machine de son corps. Toute sa jeunesse exulte dans cette dépense de gestes sous la pluie, face à l'orage qui ameute ses foudres et qui pourrait le stopper net, crucifier sa mortelle insignifiance. Mais il aime, il est un dieu, et l'orage respecte ceux qui portent en leur corps et en leur âme la flamme sacrée. Dans la pluie qui fouette et caresse, il avance les lèvres et baise la main d'eau tiède de la nuit, il embrasse la tonne d'ombre et d'eau qui lui ouvre son secret. Il est comme nu, ses cheveux ruissellent dans son cou, ses vêtements le palpent de leurs tendresses mouillées. Au loin, il entend les aboiements furieux du grand chien danois, heureusement prisonnier de son enclos derrière le pavillon du club.

Soudain un éclair, immédiatement suivi d'un bruit assourdissant, l'enveloppe de son coup de jour et l'arrête. Cette fois, il a peur. Doit-il se mettre de nouveau à l'abri sous les pins ? Il croit plus sage de se coucher sur le sol, à une certaine distance des arbres, mais pas trop loin, là où les cimes peuvent encore détourner la foudre vers elles. Le cœur battant, la tête enfouie dans ses bras repliés, le dos martelé par la pluie très lourde qui forme des flaques autour de lui, il attend les prochains éclairs, totalement impuissant sous ce déchaînement et envahi peu à peu par une sorte d'admiration devant son intensité grandiose. On dirait que tout le ciel se résout en chute de larmes et de feu contre la terre, que l'immensité est remplie d'un même événement dans lequel plus rien, ni personne, n'a d'existence séparée. C'est comme le déluge, et Étienne soudain ne peut plus se soustraire au spectacle. Il se retourne sur le dos, ouvre grands les yeux, s'emplit de l'éblouissement et du vacarme de tout, fixe le grand saint Dieu dans la cohue des fumées et des trombes, entonne soudain un chant bizarre monté du fond de lui, un chant semblable à ceux que Lucie chantait, venus des ancêtres, sans les comprendre, mais elle-même comprise par ces mots sans figure, ces airs du plein cœur. Il chante, à n'en pas douter, la fille plus belle que l'étoile, que l'éclair, que le rire de gorge du ruisseau, la fille au corps si près de son âme qu'une même aube les bénit. Puis, immunisé contre sa peur, il se remet en marche dans la nuit que des jours hallucinés viennent suspendre, le temps d'un tremblement, dévoilant de lointains espaces dans une lumière d'apocalypse. La foudre tomberait à ses pieds qu'il l'écarterait de son chemin, sans plus. Elle tomberait sur lui qu'il la prendrait à bras le corps, casserait son échine noire. Étienne est tout un moi contre le monde. Un moi, c'est plein de joie et d'aurore, et, face à lui, la nuit n'a qu'à bien se tenir.

Il arrive à la clôture qu'il escalade de nouveau pour se retrouver sur la voie ferrée, à proximité du pont. Privé d'éclairage, celui-ci s'enfonce dans une obscurité que le mauvais temps rend plus opaque. Les traverses de bois, entre lesquelles s'ouvre le gouffre, sont luisantes d'eau noire. Étienne hésite un moment puis s'engage. Juste à ce moment, il entend la cloche de la locomotive. Le train, qui était en gare, redémarre vers Montréal et fera escale après le pont. Étienne revient vite sur ses pas et se soustrait à la vue du conducteur. Réfugié sous la rambarde de métal, il envisage pendant un moment de traverser à la nage, mais que ferait-il de ses vêtements ? Dans le courant et les tourbillons, la moindre charge serait une entrave. Et puis, le risque est trop grand. Les violences de l'eau, même en été, peuvent l'entraîner et le déchirer sur les pierres.

Après quelques minutes, une fois le train reparti et les vibrations du rail apaisées, il tente de nouveau sa chance, les pieds nus cette fois, pour bien sentir le bois et prévenir les glissades. Il prend vite de l'assurance. Rendu au centre, il se rappelle en souriant le geste du matin, cette longue miction de gamin heureux de se soulager en plein jour, de se mettre en rapport avec l'eau immense et la nature, de se libérer, entre les deux rives, des humeurs mauvaises accumulées dans la maison labyrinthique. Il imagine Odile le surprenant dans cette posture et se sent, du coup, très au-dessus, très mûri par rapport à sa vie antérieure, laquelle a pris fin entre onze heures et midi quand le plus doux tonnerre est venu s'asseoir à ses côtés.

L'orage, maintenant, s'est éloigné, emportant ses canons et ses trombes. Une pluie calme l'a remplacé, et l'air se rafraîchit rapidement. Étienne est transi dans ses vêtements trempés. Il arrive maintenant à l'extrémité du pont, content de ne pas avoir attrapé d'écharde, puis prend sa course vers la grande maison bleue.

❑

Quand Étienne arrive, il pleut toujours et il se réjouit à la pensée de quitter ses vêtements mouillés et de se mettre au sec sous le drap, dans la bonne chaleur de Gervais. Mais près de la porte d'entrée, sous le petit toit qui avance, une forme qu'il reconnaît à peine d'abord, attire son attention.

— C'est toi, maman ?

L'absence de réponse l'étonne au plus haut point. Il s'approche et découvre une Lucie si éloignée de son exubérance habituelle, si enfoncée dans il ne sait quelle morne méditation, qu'il est plongé dans l'embarras.

— Quelque chose s'est passé ?

Elle émet à peine un grognement, impossible à interpréter. Il passe alors son bras derrière elle, met la main sur son épaule comme il ne l'a jamais fait, mais comme il peut le faire maintenant, puisqu'il est un homme et qu'il aime une femme et que les corps sont devenus le chemin naturel des émotions. Sous la caresse, elle frémit.

— Tu es mouillé. Tu es tout trempé. Va vite te changer, sinon tu vas attraper ton coup de mort.

— Je reviens tout de suite.

Il monte l'escalier en trébuchant dans les vêtements épars, pénètre dans la chambre des garçons qu'éclaire faiblement une veilleuse. Il constate l'absence de Gervais. Vincent et Fernand dorment d'un lourd sommeil.

Débarrassé de son linge ruisselant, Étienne promène son regard autour de lui et ne trouve rien d'autre à se mettre sur le dos qu'une vieille robe de chambre sans cordelière. Il s'en revêt, jouit de la bouffée de chaleur qui l'enveloppe d'un coup jusqu'à la nuque.

Revenu auprès de Lucie qu'il distingue mieux, dans la clarté de la lampe extérieure qu'elle vient d'allumer, il voudrait parler de ce qui lui arrive, de la grâce passée dans sa vie, d'un regard si vert et si limpide et si prodigieusement beau qu'il efface le monde. Mais Lucie n'est vraiment pas dans son état normal.

— Qu'est-ce que tu as ?

Elle semble complètement découragée. Non pas au bord des larmes, mais engoncée dans une torpeur qui décolore la vie. La pluie et la nuit sont sur elle.

— Ç'a été une bien drôle de journée. C'est la chaleur, peut-être... Toi, tu n'as pas eu trop chaud ? Es-tu allé en ville ?

— Oui, mais... c'est drôle, j'ai oublié la chaleur.

— Dis-moi donc ! Ici, pourtant, au bord de la rivière, sous les arbres, il fait plus frais qu'ailleurs, mais j'ai senti comme un poids, pendant toute la journée. Peut-être bien à cause de ce qui est arrivé...

— Quoi donc ?

— Bah ! des choses... D'abord le curé, ce matin, qui est venu me faire un sermon. Il prétend que le maire veut nous faire expulser, que nous sommes la honte de la municipalité. Ils sont bien tous pareils, nos soi-disant bienfaiteurs. Lui aussi, le curé, il voudrait bien nous voir partir. Mais celui-là, en tout cas, je le tiens.

— Comment ça ?

— Bah... je le tiens. Il y a toujours bien une limite à ce que les pauvres gens fassent rire d'eux autres ! Mais ce n'est pas le plus grave. Corinne... (Un sanglot interrompt sa confidence.) Corinne a failli se noyer — mon Dieu, que ça a passé proche! Pauvre petite! Imagine... Un peu plus et on arrivait trop tard.

— Elle s'est baignée toute seule?

— Je ne sais pas ce qui est arrivé. Elle était en maillot de bain depuis le matin, à cause de la chaleur. Peut-être a-t-elle voulu se rafraîchir. Les autres l'ont vue qui flottait, je l'ai secourue juste au moment où elle allait s'enfoncer. Ça m'a pris au moins dix minutes pour la ranimer, elle était comme morte. Pauvre petit corps! Une vraie porcelaine, cette enfant! Elle était blanche, blanche! Depuis qu'elle est revenue, pas moyen de lui faire dire un mot. Elle est sous le choc, je crois bien. Ah! ce que je pense, Étienne, c'est qu'elle ne s'est pas habituée à sa nouvelle famille, elle est malheureuse avec nous. Elle garde tout ça par en dedans, je ne sais pas comment la dénouer. Je l'ai recueillie avec son petit frère, j'essaie de lui donner tout ce dont elle a besoin; qu'est-ce que je peux faire de plus?

— C'est vrai, elle a des problèmes, reconnaît Étienne d'une voix qui l'étonne lui-même, une voix d'adulte empreinte de sagesse.

« Problèmes », c'est un mot de curé, d'orienteur. Lucie l'emploie parfois pour manifester sa petite supériorité sur l'un ou l'autre de ses voisins, bien nanti mais affligé de troubles de comportement, par exemple de timidité maladive, ou d'ivrognerie: pauvre monsieur Untel, il a des problèmes...

— Et puis, pour couronner la journée, il y a le beau Gervais qui nous est arrivé avec une vieille bagnole de son copain Denis — le gros, tu connais ? — et qui ensuite s'est fait arrêter après avoir embouti la voiture d'un conseiller municipal, Garon, celui qui a toujours été contre nous.

— Il n'a pas été blessé ?

— Heureusement, personne n'a été blessé ! Ils étaient six dans la voiture ! À part le gros Denis, il y avait Bernadette, Frédérique, Fernand et Vincent. J'avais pourtant défendu à Gervais de faire monter ses petits frères et ses petites sœurs. Évidemment, c'est comme si je parlais à des pierres ! Ils font tout ce qu'ils veulent, ces enfants-là. Ce que je dis n'a aucune importance. Ils pensent sans doute que je radote, ou que je parle seulement pour les embêter. En tout cas ! Ils s'en sont sortis indemnes, c'est au moins ça de gagné. Sauf que Fernand a fait une crise, comme de raison… La voiture de Garon était stationnée pas loin de l'église, sa belle voiture presque neuve. Gervais a fait une fausse manœuvre et il est rentré dedans, il a défoncé tout le côté. Il paraît que les réparations vont coûter très cher et Garon, au téléphone, m'a dit que ça n'en resterait pas là. Dis-moi, le beau Gervais n'aurait pas pu choisir de faire un accident avec une autre voiture que celle-là ? Garon, c'est une vraie plaie. Chaque fois qu'il a été question de nous à l'hôtel de ville, il s'est toujours montré très hostile, je ne sais pas ce que nous lui avons fait, mais…

— Et Gervais, où est-il ?

— Au poste, pour cette nuit au moins. Ça, c'est le restant des écus. Au poste, comme un criminel !

— Va-t-il avoir un casier judiciaire ?

— Je n'en sais rien. Non : à seize ans, je ne pense pas. Et puis, il s'agit d'une étourderie, rien de plus.

— Une étourderie pour laquelle nous n'avons pas fini de payer.

— C'est une autre partie de l'héritage de papa qui va y passer.

L'héritage, que Lucie ne peut gérer à sa guise, est un compte en fiducie destiné aux déboursés extraordinaires, tels que les réparations de la maison.

— Pauvre maman ! Ne t'en fais pas, je vais me trouver du travail et nous passerons à travers.

— Du travail ! C'est la récession, mon garçon. Il n'y en a plus de travail, nulle part. Et quand il y en aurait, qui crois-tu qu'on engagerait en priorité ? Le fils de la folle à Tourangeau ?

— Voyons, ne dis pas cela. Tu sais bien que...

Il la regarde avec un bon sourire ému, met de nouveau la main sur son épaule pendant que, de l'autre, il tient sa robe de chambre fermée.

— ... tu es la meilleure maman au monde !

— Tu es gentil, fait-elle en appuyant sa tête sur lui. Et toi, tu as passé une belle journée ? Il me semble que tu n'es pas comme d'habitude.

— Quoi ? D'habitude, je ne suis pas gentil ? la taquine-t-il.

— Tu es toujours gentil mais, parfois, ce n'est pas évident !... Change-moi les idées, raconte-moi ta journée. As-tu eu du plaisir, au moins ?

— Maman, j'ai... j'ai une grande nouvelle...

La pluie très calme, très égale tombe devant eux, à l'infini, jusqu'aux confins du monde. Éclairées par l'ampoule jaune de l'entrée, des touffes d'herbe luisent au bout de la plate-forme de bois sur laquelle ouvrent les portes des deux logements, celui d'en bas et celui d'en haut. Lucie n'a pas bougé, mais c'est comme si tout le malheur ou tout le bonheur, tapi dans la nuit, attendait de fondre sur elle.

— Maman, dans le train, ce matin, j'ai rencontré quelqu'un… une fille.

— Une fille ?

— Elle s'appelle Odile.

— Odile !

La nouvelle monte, monte en elle, bientôt elle n'en peut plus, elle crie, elle rit, « Odile ? » fait-elle en riant, et elle se rue sur lui, le bouscule, le chatouille, défait son vêtement pendant qu'il se défend en riant, ce sont deux enfants qui aiment, qui jouent à la vie sous la pluie, et elle le lutine, elle sanglote en répétant « Odile ! Odile !… », un grand éclair intempestif déchire la nuit.

Deuxième partie

13

Là, dans la transparence, la lumière généreuse, là, ce visage si beau, si attachant, ces yeux d'un noir très doux, et ces lèvres qui sourient, immatérielles. Il est l'ombre faite jour et sa présence est une mince pellicule tendue sur le vide, traversée, elle s'efface peu à peu, pas moyen de la retenir, de la sauver, elle disparaît. Odile s'éveille. Pourquoi lui enlève-t-on sa joie ? Pendant un instant, elle est malheureuse, puis la réalité lui revient. Elle sourit. Sa joie, c'était lui. Lui, il était dans son rêve, il a dormi en elle, niché dans sa pensée, il habite en elle. Pour toujours. Quand il s'efface du rêve, il revient sous forme de souvenir, plus beau encore, plus grand. Mon prince sauvage. Elle imagine, furtivement, sa nudité. Aussitôt, tout son corps vibre comme une harpe vivement touchée. Elle voit surtout un feu de poils sombres, au-dessus d'un sexe qu'elle ne sait pas imaginer.

Elle fera comme ses amies, elle achètera des condoms.

Et il viendra en elle, et aura joie en elle. Et sa joie à elle sera l'enceinte de la sienne, de son effluence, de son lait versé comme du sang. Ils feront, deux, l'amour. Un seul amour de corps et d'âmes.

Ah ! délicieuse sensation de bien-être ! Couchée sur le dos, ses cheveux mollement répandus autour de sa tête, le drap tiré jusqu'au cou, Odile se laisse couler et dériver dans la fraîche ambiance du matin. Comme tout est pur, net ! Par sa fenêtre ouverte, elle entend les piaillements des passereaux, mêlés aux cris rauques des mainates. L'odeur touffue des pivoines lui arrive, portée par une petite brise qui lui caresse les joues.

Une inquiétude cependant lui saute au cœur. La nuit passée, peu de temps après le départ d'Étienne, un gros orage est survenu et il lui a fallu plusieurs heures pour calmer son angoisse. Elle voyait son bien-aimé seul, réfugié dans quelque abri de fortune, attendant que le mauvais temps s'éloigne. Comme elle l'aurait accueilli dans sa chambre et protégé des violences de la nuit !

Elle repousse le drap, le froid léger la baigne comme une eau claire. Étienne est là, sur elle, la couvre comme un ciel. Il est un champ d'air blanc et bleu qui la roule en ses sourires et elle, de ses mains, le modèle en forme d'homme. Elle lisse ses ailes, ses flancs. Elle palpe ses hanches. Il pèse en elle et, centre à centre, l'ébahit.

Douce odeur de ses seins. Elle fleure le matin, ouverte à la joie d'homme. Soudain, elle voit très précisément le sexe brandi, énorme, la goutte de résine claire entre les deux petites lèvres. Où a-t-elle déjà eu la révélation de l'Objet ? C'était dans un affreux magazine oublié sur un banc du parc, peut-être disposé là à dessein. Il était resté ouvert sur cette image dont l'indécence était extrême. Elle avait été choquée d'abord, puis la curiosité avait été la plus forte. Elle avait regardé posément cette masse aux formes nettes, aux teintes délicatement nuancées et lui avait trouvé de la beauté, sous les apparences du grotesque. La beauté de la vie, franche comme un coup de poing. Si vibrante qu'elle neutralisait les protestations du goût, de la pudeur.

Dans son lit, elle réfléchit à ce qu'elle peut attendre de l'existence. Un homme, oui, la prendra absolument, l'écrasera de plaisir total, et puis sera un sens, un centre de sa vie, cheminera en elle comme elle en lui, sera en elle et par elle un monde à conquérir, à dilater jusqu'aux confins du réel. Et ensemble, peut-être, ils feront Dieu, habiteront l'univers jusqu'aux lointaines galaxies, aux amas, à la minute première. Ils seront Dieu et Dieue, enlacés, nus, suprêmes !

Il lui semble que la clarté surabondante du matin, la fricassée de cris d'oiseaux sont en rapport immédiat avec son corps dont elle éprouve, de l'intérieur, la beauté rendue plus rayonnante par les premiers afflux du désir. Elle comprend enfin ce que veut dire la sensualité, pour laquelle elle ne croyait guère jusque-là avoir de prédispositions. La sensualité, c'est un élan de tout le corps vers la joie à prendre et à donner, vers l'âme à capter de ses mains nues. Et le corps dès lors devient la seule sagesse et le seul pouvoir. Il remplace les dieux et les lois, les dogmes du savoir. Les grands artistes, les grands hommes et les grandes femmes du siècle ne sont pas ceux et celles qui matent leur corps, mais ceux et celles qui, dans l'étreinte, ont découvert la capacité de vivre leur être jusqu'au bout. Tout est amour, amour. Ses doigts effleurent, comme un jeu, la pointe raide de ses seins, glissent contre les globes doucement aplatis.

À une heure trente ! Comment vivre jusque-là ? Leur premier rendez-vous ! Il faudra emprunter la voiture ou se faire reconduire. Elle apportera son sac de golf, le mettra en consigne. Ils iront se promener, comme hier ; mais une rivière sera, cette fois, leur confidente. Il lui a parlé des rives, de tous les coins où son enfance s'est embusquée. Elle le rêve en vif galopin, dissimulé dans les buissons ou bricolant quelque magie. Il devait être émouvant, dans ses pauvres vêtements déchirés aux ronces et piqués de bardanes, ses cheveux noirs dans ses yeux noirs, son museau pincé de fierté mohawk. Un sauvage, entre les roseaux. Mais elle le préfère avec sa taille d'homme, et ses belles mains franches, son sourire rectiligne qui découvre un peu ses dents, sa tête où se touchent l'enfance et la maturité, où s'échangent leurs mystères et leurs joies.

Tête de jeune homme intelligent, mais réfractaire aux disciplines de l'école parce qu'elles sont éloignées de ce qui fait l'honneur et la joie de vivre. Odile croit cependant qu'il pourrait vite rattraper le temps perdu, s'il décidait de s'y mettre. Il lui a d'ailleurs promis de terminer son cégep, quand ils ont confronté leurs projets. Elle lui a confié qu'elle s'était inscrite à la faculté de droit, poussée par l'exemple paternel, et alors son beau visage s'est assombri et il lui a avoué sa crainte de ne pouvoir mériter longtemps l'estime d'une personne si instruite, ou de ne pouvoir soutenir la comparaison avec ses futurs condisciples. Elle l'a alors rassuré en faisant l'éloge de sa force de caractère, qu'elle décelait dans tout ce qu'il lui racontait de son passé, et qui valait plus que tous les acquis intellectuels ; qui était, du reste, le fondement du développement personnel. Il se choisirait une profession accordée à ses goûts, celle d'ingénieur forestier par exemple. « Ou d'océanographe ? » a soupiré, avec un timide sourire, Étienne qui a parlé alors longuement d'une émission de télévision qu'il avait regardée trois ans plus tôt et qui l'avait fait rêver d'un tel avenir. « Eh bien, mon prince, c'est parfaitement possible », lui a-t-elle dit. Là-dessus, il a répondu : « L'un de mes grands-pères était médecin. Mon autre grand-père, avant d'émigrer au Canada, était professeur d'université en Hollande. Pourtant, mon père n'a pas fait sa dixième année, et ma mère... Mettons qu'elle est une autodidacte. L'instruction, comme tu vois, a plutôt tendance à se perdre, dans la famille. — Il n'y a rien d'irréversible là-dedans... »

Aujourd'hui, elle enfoncera le clou, l'aidera à se prendre en main. Elle sera celle par qui le salut lui arrive. Tout n'est-il pas possible, pour un jeune qui a dix-huit ans, qui a des aptitudes et du cœur au ventre ? Et celui-là, s'il aime, ne peut-il remuer des montagnes ? Oui, elle l'aidera, le poussera dans la voie du succès et, ensemble, ils rendront le destin semblable à leur désir. Leur désir ! Ce feu de leur corps, elle en fera leur demeure bien plantée dans l'existence, bien assise sur le roc, gerbe profuse lançant au loin des lueurs, feu habité. Convertir la rage d'amour qui les dévore en volonté de se hisser, l'un par l'autre, au sommet de la vie !

Avec un long soupir, elle s'étire, les poings fermés, tord son buste qu'elle découvre soudain plein de grâces, ouvre ses jambes sous le beau fantasme qui l'assaille et la remplit de sa chaude outrance. Pendant que ses doigts cherchent un rythme, au bord du nid qu'à peine ils effleurent, et qu'elle imagine le doux ébranlement des chairs, entre ses cils mouillés elle entrevoit les pans de mur vert pâle où s'ébroue l'ombre d'un feuillage. La brise du matin, chargée d'arômes et du bourdonnement d'un taon solennel, l'assiste dans l'éclosion d'une joie soudain si aiguë qu'elle mord son cri sur sa lèvre et se débat longuement contre le terrible guerrier d'azur.

14

Sitôt éveillé, Étienne revêt la vieille robe de chambre et, sans bruit, descend l'escalier. Dehors, il se dirige allègrement vers la rivière, se dépouille de son vêtement et pénètre dans l'eau fraîche, flagrant de nudité. Il n'a guère dormi cette nuit, maintenu en éveil par l'énorme bouleversement de sa vie, par la chance extraordinaire de ce visage aimant, aimable, planté soudain dans son existence et qui s'y adapte comme si toute sa jeune vie l'avait dessiné d'abord en creux. Une bonne partie de la nuit, il s'est entretenu avec Odile de ses âmes diverses, lui a ouvert tous les recoins, s'est proposé à elle dans une transparence totale, et son amour s'en est trouvé fortifié à jamais. Il voudrait désormais vivre nu, comme il l'est dans cette eau noire du matin, pour être toujours sous le regard de son amour comme dans son long rêve éveillé, inaccessible aux feintes et aux esquives ; offert, ainsi qu'une jeune vierge, et paré des seules armes du désir.

Il se perçoit comme une jeune fille, dans ce grand moût de tendresse où s'ébattent ses membres, il est pénétré par la vigueur de cette eau montée du gouffre qui communique son sourd tressaillement à ses entrailles, le traverse complètement. C'est merveilleux d'être ainsi de l'autre sexe, de tous les sexes ; de nourrir sa virilité de l'élan universel qui n'a ni direction ni exclusive. Pour aimer Odile, il faut être elle jusqu'au plus intime et ainsi lui apparaître comme cette autre part de soi, chair dure et poing levé, labarum d'une jouissance puisée au fond d'elle-même. Lui en elle, elle en lui, ils trembleront, le monde montera en leur seul corps comme un soleil incendiant l'espace, et ils trembleront dans leurs joies échangées, leurs morceaux épars, elle sera son membre et il éclatera de son grand rire de vagin, et leur semence jaillira jusqu'aux basses branches de la nuit. Il rit, l'eau baigne ses dents, il enfonce sa tête dans l'eau et reste longtemps immobile, grisé d'amour à se noyer, il noie sa fatigue massée dans le coin de ses yeux, rit, rit dans l'eau, joue les noyés, se laisse prendre par le grand appel des fonds où, jambes ouvertes, l'attend l'amante charnelle, chair de chair ; puis, sur le point de suffoquer, il se reprend d'un grand sursaut et retrouve, en haut, la magie du matin clair.

En voilà assez, de simagrées. L'amour est à construire avec du jour, pas à coups d'âme alanguie. Et il ne faut pas croire que tout soit acquis. Pour qu'Odile me garde son amour, pense Étienne, il faut que je sois digne d'elle. Digne ! Cela veut dire : finis les flâneries, les petits désespoirs secs, la courte vue. L'avenir est un rêve qu'il faut rêver magnifique, comme une grande maison à meubler de nos vœux communs puis faire entrer dans notre vie, avec toute la splendeur de la jeunesse réalisée. Être jeune, faire ! Ensemble faire notre existence, à toute force, fous de travail et de réussite, bâtir notre couple en nous entêtant de nos professions, en nous jetant au visage nos succès. Puis, la nuit venue, congédier le travail et faire ensemble l'amour, ma joie en toi, mes mains enserrant tes épaules, ma dure verge en toi bénissant les rythmes, les sangs, et toi bouleversée, refluant sur moi de ta grande joie dorée, marée de feu, âme ravie !

Mais avant cela, avant leur vie d'amour dans une maison à eux, il y a les études à faire, chacun dans son coin, du moins pour l'instant. Peut-être pourront-ils, dans un an ou deux, louer ensemble un appartement près de l'université. D'ici là, ils devront vivre le plus souvent à distance et se rencontrer peut-être en cachette des parents d'Odile, si ceux-ci ne voient pas en lui le parti souhaité. Étienne ne sous-estime pas les difficultés qui peuvent survenir de ce côté. Cependant, l'extraordinaire n'est-il pas qu'il aime ; qu'elle soit ; que leurs pensées du premier coup se soient reconnues et enlacées, que leurs corps s'appellent du plus intime et du plus passionné d'eux-mêmes ? Il aime ! Rien de plus magnifique ne lui est arrivé depuis ce jour, qu'on lui a parfois raconté, où il a émergé dans la vie, entre les cuisses d'une jeune mère adorable, chaud de nuit et de sang et prêt pour les aventures d'une individualité nouvelle parmi les myriades d'individualités du présent et du passé. Devenir un, tout un parmi tant d'autres, faire équilibre à la multitude des destins en assumant sa juste part de drames et de plaisirs, être digne de respirer parmi les hommes et les femmes de ce monde et de mêler son souffle à celui d'un être semblable à lui, de confondre son regard à la lumière et au cristal de son regard ; devenir l'amour qui est la grande plongée dans l'autre soi, où on se trouve en se perdant, naître à l'autre comme naître à soi, voilà l'événement de l'amour à vingt ans, qui rend Étienne à sa radieuse nudité d'enfant.

Nageant calmement au-dessus du gouffre, il regarde la maison bleue se refléter dans les plis de l'eau, auréolée de la flambée des frondaisons. Du point de vue qu'il occupe, et dans l'état de ses pensées, Étienne ne trouve presque que du charme, un charme bouleversant, à la maison et au terrain. Mais certains détails familiers finissent par s'imposer à son attention et provoquer son agacement. Tout ce désordre ! Comment se fait-il que sa mère, si sensible, malgré ses allures fantasques, ne souffre pas du délabrement des choses, de l'abandon de la pelouse, de l'amoncellement des détritus ? Étienne se souvient de l'arrivée dans leur nouvelle propriété, il y a trois ans, de la magie impeccable des lieux, des anguilles de feu que l'eau calme projetait sur la véranda. Pendant tout un matin, il avait observé le trémoussement des têtards et les escadrilles de vairons obliquant brusquement vers des objectifs indécelables, les demoiselles bleues et rouges perchant sur les nénuphars. Tout était clair, et les rires, les cris restaient au diapason de la beauté. Hélas ! il avait suffi de quelques jours à peine pour que l'aise déborde en laisser-aller et en saccages.

L'achat d'une tondeuse avait été jugé superflu. La libre croissance des herbes semblait, à Lucie, préférable à la monotonie d'une pelouse entretenue. Ainsi viendraient les pissenlits, les verges d'or, la chicorée, qui égaieraient la vue. Les gazons corrects sont comme des personnes trop instruites, affligées des ridicules manières de leur état. Vive la jeunesse et ses salubres ignorances !

Et ils avaient repris, dans ce cadre enchanteur, leur vie insouciante et gaie, sans se préoccuper de la rapide détérioration des lieux à laquelle contribuaient particulièrement les rages de Fernand. Pourquoi remettre en place les volets arrachés ? Il les démolirait à la première occasion. Mieux valait les laisser sur place, comme pour rappeler à ses démons que leur œuvre de destruction était déjà accomplie. Quant aux autres enfants, ils s'accommodaient bien de cette loi du moindre effort que leur mère, indolente et débordée par ses tâches, avait instaurée. Seules Marie-Laure et Frédérique lui venaient en aide, aux repas ; les autres étaient généralement dispensés des corvées.

Ce matin, se maintenant dans l'eau à la verticale, à l'aide d'un minimum de mouvements, et tourné vers la rive, Étienne se sent envahi par une dure détermination. S'il veut emmener Odile chez lui, la présenter à sa mère, à ses sœurs et à ses frères, s'il veut accueillir comme il se doit la fille qu'il aime, il faut mettre la misère à la porte, congédier le laisser-aller des pauvres, rendre à la maison bleue sa fraîcheur de chanson. Ce sera son premier pas vers un avenir conforme à son amour. Il refera la dignité de tout, de tous, de la chère Lucie ployant sous ses charges, de tout le chœur des vies dont lui, l'aîné, il se sent maintenant responsable. Il sera l'homme de cette maison, celui qui a toujours manqué, même et surtout quand Chonchon paissait ses rêves hermétiques au milieu des tapages familiaux.

Tandis que cette idée pousse en lui, il commence à caresser son bras gauche sous l'eau un peu grasse, presque savonneuse ; il se lave à main nue, extirpe la crasse de sa peau, visite un à un ses membres puis frictionne sa poitrine, se rend propre de ses deux paumes pressantes, patientes, finit par son visage qu'il débarbouille minutieusement, du bout des doigts. Après cette toilette réalisée en nageant sur place, près des grands remous, il se sent allégé des fatigues de la nuit trop courte, occupée à rêver les yeux ouverts puis traversée de cinglants cauchemars où il se revoyait prisonnier de l'orage. Il sort de l'eau, remet nonchalamment la robe de chambre qui ne ferme pas, remarque avec amusement la tête grise d'une voisine à sa fenêtre, néglige de l'insulter. Il revient vers l'avant de la maison pour regagner sa chambre. Là il découvre, à moitié allongé sur la plate-forme de bois, adossé au mur, Gervais qui n'affiche pas du tout son air des jours de fête. Étienne se souvient alors de sa mère qu'il a trouvée, quelques heures plus tôt, dans une position similaire.

— Tu es là, toi ? fait-il en prenant place à ses côtés.

Gervais ne répond pas. Son visage de fouine souriante est, ce matin, extraordinairement fermé et blême, au point qu'il en est presque méconnaissable. Étienne ne sait trop que dire et, comme il a fait avec Lucie, il lui met la main sur l'épaule.

— Ne me touche pas. Ne me touche pas !

Et Gervais s'écroule soudain en larmes, incapable de contenir sa détresse. Il émet comme de petits piaillements à travers ses sanglots.

— Qu'est-ce qu'il y a, frérot ? Qu'est-ce qu'ils t'ont fait ?

— Ne me touche pas, je ne veux plus qu'on me touche, jamais ! Je ne veux pas ! Je ne veux pas !

— T'ont-ils battu ?

Gervais, pour fuir l'importune sollicitude, se lève et ouvre la porte qui mène à l'étage. Étienne remarque qu'il a de la difficulté à marcher. Une sorte d'ombre brune souille le jean entre les jambes, comme si Gervais avait saigné.

15

— Vous êtes une pas-d'allure, ma chère madame, une sacrée pas-d'allure ! Pis vos enfants sont comme vous : des pas-d'allure ! Est-ce clair ?

Il est face à elle, énorme, puissant, tout rouge de colère et de mépris, les deux poings sur ses hanches, et il tonne. On l'entend sûrement à cinq maisons d'ici. Les voisins ont de quoi se régaler. Hier, le curé ; aujourd'hui, le conseiller municipal, Normand Garon en personne, venu décharger sa bile pour les dommages causés à sa voiture. L'occasion est trop belle. Depuis des années, le furibond réclame le bannissement de cette famille qui déshonore la ville. Lucie le laisse se vider de sa rage. Il est arrivé tout bouffi d'imprécations, l'a apostrophée sans aucune entrée en matière, lui assenant injure sur injure. Elle a pensé le mettre tout de suite à la porte, se colleter au besoin avec lui, puis a modifié sa tactique, dans l'espoir de tourner la situation à son avantage. Et puis, elle est trop horrifiée par les traitements qu'on a infligés à Gervais pour laisser passer l'occasion de clamer son indignation. L'occasion, oui, est trop belle : il en est un qui saura sa façon de penser et, par chance, c'est précisément leur persécuteur le plus acharné.

Pendant qu'il crie, elle examine froidement cette colère qui se veut imposante et qui, sur le linoléum, pose deux plates chaussures de cuir luisant, ridiculement déformées par les oignons. Sous les vêtements d'un goût criard, elle imagine le linge intime, la piteuse anatomie. Ce tonneau bondé de morgue et d'excréments parle, agit, respire au nom du respect qu'on lui doit parce qu'il n'a jamais imaginé, depuis qu'il pèse sur la terre, qu'on pût avoir à son égard une autre conduite et qu'il dût mériter la considération dont il se repaît.

— Nous allons vous chasser, ma chère madame, avec votre tribu de mal élevés qui déshonorent la municipalité. Vous irez établir ailleurs votre maudite soue à cochons, puisque vous n'êtes pas capable de vivre comme du monde ! Vous êtes une cochonne, une fille de sauvage, vous n'avez jamais appris la propreté ni les bonnes manières. Ce qu'il vous faudrait, c'est une cabane au bout d'un champ, comme ça vos enfants pourraient se promener tout nus comme des bêtes, et vous aussi ! Tous vos voisins se plaignent de vos allures scandaleuses, ils voient souvent vos grands garçons entrer dans l'eau sans maillot de bain, et puis, vous, on sait ce que devient votre maison en fin de soirée. Une honte ! Et vous êtes là à me regarder sans broncher, comme si je vous parlais iroquois... — ah non ! c'est vrai, là vous comprendriez !

— Je vous comprends, monsieur le conseiller.

Le ton posé de Lucie décontenance un instant le bouillant notable. Sa figure, retombée au repos, ressemble à une crêpe qui pend en plis mous. Ses petits yeux gris luisent comme des limaces entre les paupières gonflées.

— Je comprends très bien ce que vous dites, reprend-elle. Vous voulez nous chasser parce que, au lieu de tondre ma pelouse bien ras et de la faire brûler par le soleil, comme font tous mes voisins, comme vous faites vous-même, je laisse la nature faire son œuvre. Moi, mon herbe ne jaunit pas dès le mois de juin et de jolies fleurs y poussent. Voilà qui est écologique, comme on dit. Mais je ne prétends pas vous convertir à mon système. Ce qui vous agace surtout, c'est que j'élève mes enfants dans un climat de liberté, je leur enseigne qu'ils doivent rechercher avant tout le bonheur, non les honneurs et la prospérité. Ils méprisent l'argent, mes enfants, et se contentent du peu qu'ils ont, voilà ce qui vous scandalise. Quant à leurs mœurs, monsieur le conseiller, sachez qu'elles sont saines et qu'on ne peut pas en dire autant de celles qui ont cours dans votre joli monde. Mon fils Gervais, monsieur, qui a été jeté en prison hier, ce qui a dû vous causer beaucoup de joie, il m'est arrivé ce matin en sang et en larmes parce que les policiers l'ont violé toute la nuit, m'entendez-vous ? Comprenez-vous ? Est-ce de l'iroquois, ce que je vous dis ? Voilà ce que c'est, votre bel ordre bourgeois. Des pelouses bien propres, des façades soignées, mais, derrière les façades, il y a une telle saleté, monsieur le conseiller, une telle écœuranterie que c'est à vomir ! Et vous êtes complice, complice de cette ignominie !

— Ce que vous dites... que les policiers ont violé... ce n'est probablement pas vrai. Je vais vérifier...

— Pas vrai ? pas vrai ?! Vous en avez, du toupet ! Faut-il que je vous montre son cul ? Voulez-vous, comme Thomas, mettre votre doigt dans le trou ?

— Un peu de dignité, madame ! Et puis, si vous êtes si sûre de ce que vous dites, vous n'avez qu'à déposer une plainte devant les tribunaux.

— Ah ! elle est bien bonne, celle-là ! Une plainte contre la police ! Ça ferait bien votre affaire : vous seriez assuré de notre départ en peu de temps. Les tribunaux ! Vous pensez peut-être qu'ils existent pour défendre les droits des pauvres gens ?

— Quoi qu'il en soit, voilà ce qui arrive quand on laisse ses enfants faire tout ce qu'ils veulent. Mes enfants, madame, ne se retrouvent pas en prison.

— En effet, il y a peu de chances qu'ils se fassent arrêter, et encore moins traiter comme de la chair à jouir. Ceux qui détiennent le pouvoir ont tous les privilèges. Seuls les pauvres ont droit à l'attention de la justice. Et aux égards de la police. Les salauds ! Si je rencontre ceux qui ont agressé mon fils, je les... !

— Prenez garde ! Les menaces peuvent vous coûter cher.

— Décidément, pour une ordure, vous en êtes toute une ! Non seulement vous restez froid devant le sort qu'on fait à un pauvre garçon, mais vous m'enlevez même le droit de protester. Il faut que vous haïssiez bien les défavorisés, vous ! Quoi, vous n'avez pas même un peu de charité chrétienne à l'égard de votre prochain qui vit dans la misère ?

— Charité ! charité ! Commencez par la mériter, et inculquez un peu d'éducation à votre satanée marmaille, ensuite nous pourrons discuter. J'en ai assez, moi, madame, de vos jérémiades ! Et vos petits maudits bâtards, vous feriez mieux de les garder chez vous ! À bon entendeur, salut !

Le gros homme pousse la porte, qu'il laisse claquer derrière lui, mais il se retrouve devant Étienne manifestement résolu à lui bloquer le passage.

— Toi, mon morveux, ôte-toi de mon chemin !

Il cherche à bousculer le jeune homme, qui tient bon.

— Ce que vous avez fait à mon frère, c'est révoltant !

— Je ne lui ai rien fait, à ton frère. (Il rit grossièrement.) Me prends-tu pour un fifi ?

— Non, vous êtes bien pire que ça. Depuis des années, vous vous acharnez contre nous, pour le simple plaisir de mal faire. Mais si vous n'avez pas mis vos sales pattes sur mon frère, vous êtes parfaitement au courant de ce qui se passe au poste de police. Une ordure comme vous, on ne voit pas ça souvent !

Hors de ses gonds, le notable gifle Étienne qui continue à le dévisager froidement, pendant que Lucie, qui a suivi l'algarade, vient au secours de son fils.

— Si vous touchez encore à mon enfant, vous aurez affaire à moi.

— Tiens, la chienne qui défend son petit bâtard ! Maudite sauvagesse ! Vous êtes beaux à voir, là ! Hou !

j'ai peur ! Madame ne veut pas que je fasse mal à son fainéant, son grand flanc mou d'enfant !

Traîtreusement, il décoche un violent coup de pied qui atteint Étienne sous la rotule. Étienne ne peut retenir un gémissement de douleur et riposte par une solide claque au visage de son assaillant, dont le nez se met à saigner.

— Mon petit verrat, toi tu vas le regretter !

Le conseiller tourne les talons et, le nez dans son mouchoir, regagne sa voiture où s'étalent les marques de l'accident. Son démarrage impétueux fait monter dans l'air un long cri de poussière.

16

— Je reviens tout de suite.

Odile ouvre la portière, interroge du coin de l'œil le profil de sa mère, impénétrable comme toujours, descend et, à petits pas gracieux, entre dans la pharmacie. Elle avise le stand de magazines, furète parmi l'amoncellement de publications de toutes sortes, la plupart américaines, et trouve celle qu'elle cherchait. Elle l'apporte au comptoir, mais furtivement, en passant devant l'étalage des produits contraceptifs, elle cueille une petite boîte attrayante qu'elle dépose ensuite en rougissant devant la vendeuse. Celle-ci, avec une impassibilité toute professionnelle, fait l'addition puis lui rend la monnaie. Avant de sortir, Odile se défait du sac et glisse la petite boîte dans la pochette fixée à sa ceinture.

— Voilà, j'ai trouvé. C'était le dernier exemplaire, dit-elle à sa mère en lançant le magazine sur la banquette arrière.

— Il doit être bien défraîchi, alors.

— Non, pas trop.

Avec une précise lenteur, madame Louvier actionne le levier de commande, et la puissante voiture se met en marche, silencieusement.

— Combien de temps devrait durer la partie ?

— Je ne sais pas. Ne t'inquiète pas, je me débrouillerai pour le retour. J'aurai peut-être une occasion, ou je prendrai un taxi.

— Tu seras là pour le souper ?

— Oui... à moins d'un imprévu. Si c'est le cas, je te téléphonerai.

Le silence s'installe, pendant que la voiture glisse le long des villas cossues. On dirait la perfection immatérielle d'un travelling. Entrevue d'un tel habitacle aux vitres légèrement teintées, la vie ressemble à du cinéma. Un film en couleurs, mais muet, car les bruits de l'extérieur sont coupés. La climatisation émet tout juste un petit murmure, presque un souffle.

— Et toi, maman, ton programme est bien chargé, comme d'habitude ?

— Bah ! quelques courses à faire. Puis je vois Luce, comme d'habitude. Nous irons peut-être au cinéma.

— Elle va bien, tante Luce ?

— À merveille. Elle ne cesse de rajeunir !

— Le veuvage l'a complètement transformée. C'est remarquable.

— Chut ! Ne parle pas comme cela. Pauvre Raymond !

— Ouais !

Elles rient, à peu de frais complices.

— Tiens, voici le golf. Je t'envie : ce bel après-midi, au soleil ! Tu n'auras pas trop chaud ?

— Il y a une bonne brise. Et puis j'ai mon affreux petit bonnet, si le soleil tape trop fort.

— Je t'ouvre le coffre.

Odile prend ses bâtons, revient embrasser sa mère et, tirant son chariot, se dirige vers le pavillon. Étienne et elle ont fixé le rendez-vous à l'intérieur, pour éviter les surprises. En passant du jour éclatant à la vaste pièce mal éclairée, elle doit s'arrêter pour accoutumer ses yeux à la pénombre. À part la grosse fille derrière le comptoir, elle distingue seulement quatre golfeurs assis à une table devant des consommations légères. Indécise, elle s'approche du comptoir. L'employée lui fait un large sourire.

— Vous voulez vous inscrire pour une partie ?

— Non... J'ai rendez-vous ici avec... connaissez-vous Étienne Tourangeau ?

— Étienne ?!

Le nom semble échapper à la grosse fille, avec une intonation d'incrédulité. Odile s'étonne de la voir passer au cramoisi et perdre son air aimable. La préposée se remet cependant de son émotion et murmure :

— Non, je ne l'ai pas vu aujourd'hui. Il est venu hier matin. Vous dites que vous avez rendez-vous ?

— Oui, à une heure trente, c'est-à-dire... maintenant. Il ne tardera sans doute pas...

— Les garçons, vous savez, il ne faut pas trop s'y fier ! fait l'autre avec une drôle de véhémence où reparaît, ambigu, son désir d'être utile.

Odile s'éloigne vers la fenêtre. Les golfeurs l'ont remarquée et, avec de lourdes galanteries, ils l'invitent à se joindre à eux. Elle leur tourne le dos. Après avoir manifesté bruyamment leur dépit, ils reprennent leur conversation sur les mérites comparés des voitures japonaises et américaines.

L'amour est un artisan si actif de scénarios d'avenir que le moindre démenti de la réalité fait surgir à l'esprit d'extraordinaires catastrophes. Portée, depuis son réveil, par la fiévreuse attente du moment qui lui rendra Étienne, Odile ne comprend pas son absence, à deux heures moins vingt maintenant, comme si la ponctualité pour le jeune homme n'avait pas d'importance et que quelque cause, si grave soit-elle, pouvait compromettre leur rencontre.

Enfin elle l'aperçoit, courant de toutes ses jambes comme un gamin, et la joie afflue de nouveau en elle. Il est bientôt rendu à ses côtés. La poitrine agitée de larges mouvements, il mêle au sien son souffle précipité.

— Excuse-moi, fait-il en abrégeant son baiser. J'ai couru très fort pour ne pas te faire attendre trop longtemps. J'ai été retenu à la maison...

Elle le contemple, dans son maillot jaune clair et son jean foncé dont l'étroitesse souligne l'harmonie de ses formes. Sa tenue sans recherche donne à son élégance naturelle toutes les chances de s'affirmer. En peu de temps, il a retrouvé le rythme de la respiration normale. Il serre de nouveau Odile contre lui et sourit :

— Maintenant, nous pouvons nous embrasser. Bonjour, Odile !

Elle lui tend ses lèvres et frémit au contact de sa bouche, puis c'est elle qui se retire.

— Pas ici... Allons dehors.

— Je vais mettre tes bâtons en consigne.

Il s'éloigne avec le chariot, s'adresse à Annie qui le sert avec sévérité, les joues plus rouges que jamais. Quoi, cette grosse fille serait-elle jalouse ? se demande-t-il avec étonnement. Il ne s'attarde pas sur cette question et retrouve vite Odile, qu'il entraîne dehors.

Le ciel a le bleu franc et profond des jours point trop chauds. Des nuages l'égaient de leurs moutonnements éclatants. Étienne jouit de la sensation, si nouvelle pour lui, d'enlacer le corps délicieux d'une jeune fille qui est une fontaine de cheveux clairs chutant en soyeuse caresse, toute une caresse contre son avant-bras, et qui est un visage aimant, aimable dont les traits sont un poème et une grâce. D'elle à lui, il y a un retour de bonheur, une offrande spontanée de désir qui met leur chair en vibration et qui mêle à leur chair de l'âme, car l'âme est toute désir et volonté. Leur âme veut l'autre, jusqu'en ses os, ses dents, son sourire de flamme.

Ils marchent, tendrement appuyés l'un contre l'autre, vers l'entrée du terrain, puis Étienne entraîne Odile sur la route qui longe la rivière. Le bord de l'eau est noyé dans l'ombre des grands arbres, mais les rapides, plus loin, s'ébrouent au soleil et l'île, à une faible distance de la rive, étend sa frémissante nappe de verdure sous les effusions du jour.

— Voilà « mon » île, fait Étienne avec un geste emphatique de grand propriétaire.

— Splendide, monseigneur ! Et comment peut-on y accéder ?

— Il y a un passage, pas très loin. L'été, l'eau est si basse qu'elle vient aux genoux seulement. Au printemps, il n'y a pas moyen de traverser ; l'île est d'ailleurs à moitié noyée.

— Comme ce paysage est merveilleux ! (Elle s'assombrit.) Tout à l'heure, quand j'ai vu que tu n'étais pas là…

Il l'interrompt et plonge dans ses yeux un regard plein d'angoisse.

— Si tu savais, Odile ! Je te jure, je n'ai pas pu faire mieux. Excuse-moi, mais comprends… Je te raconterai.

— Non, je ne te reproche rien. Je veux seulement que tu saches combien la perspective de ne plus te revoir — ce qu'on est fou, dans ces moments-là ! on imagine toujours le pire —, cette perspective m'a ravagée, tout d'un coup ! Cher Étienne !

Elle caresse doucement son bras, recouvert d'un fin poil sombre, y porte ses lèvres. Il se sent grand à côté d'elle, et, sage, et carré, il sait que l'avenir n'existe pas, non plus que le passé, qu'il y a le présent seul et leur marche côte à côte, et les mystères de l'île à faire lever sous leurs pas, en essors farouches. Il se sent si bien, près de cet autre moi inconnu de lui-même et pourtant complice, accordé à tout son système de désirs et de pudeurs ! Il sent comme d'instinct quelles caresses il pourrait oser, de sa grande main déliée entre les gerbes de la gêne et les feux de l'émoi, quels baisers il pourrait planter dans ces sillons de tendre chair, et quels regards, papillons célestes, il pourrait lâcher sur ces accidents de bonheur que sont la peau, les traits, les gestes, les soupirs. La posséder dans sa distance de jeune fille, à bout de poings et d'amitié, puis la posséder dans sa douceur et sa bonté, être son jeune maître ravi. Et qu'elle soit ma grâce, ma vie !

Arrivés sur les cailloux gris du bord, ils se déchaussent et remontent le bas de leur pantalon. Le lit de la rivière, en partie découvert, est constitué de pierres rondes entre lesquelles le sable fait des nids. Çà et là, des branches restées prises et complètement nettoyées par le courant jettent un éclat bistre de vieux os.

— Tu as vu ? s'exclame Étienne. Un doré !

— Où ça ?

— Il est passé, là, près de la grosse pierre.

Elle se serre contre lui et demande, d'une voix timide :

— Tu es sûr qu'il n'y a pas de danger ?

— Mais non. Je t'ai dit que l'eau ne te va pas plus haut qu'aux genoux et, de ce côté de l'île, tu vois, le courant est faible. Et puis, je vais te tenir.

— Je sais... mais les poissons ? S'ils nous attaquaient ?

Le rire d'Étienne est si beau dans le jour qu'Odile laisse tout de suite tomber ses craintes et, dans un élan, décide :

— Allons-y !

Placé en amont, comme pour briser le courant, Étienne maintient solidement Odile de sa main posée sur sa hanche et lui indique les pierres sur lesquelles prendre appui. En peu de temps ils abordent dans l'île. Puis Étienne la prend dans ses bras et murmure, tout attendri :

— Tu vois, il n'y avait aucun danger.

Elle sourit, et son sourire attend, et, sur son sourire, le jeune homme pose ses deux lèvres d'abord très douces, à peine un effleurement, presque un souffle. Puis leurs bouches se parlent, se disent l'amour en baisers qui font autour d'eux la nuit, en plein jour, et qui font une chambre sous les hautes branches, tendent des plans de soie, les enveloppent d'une fraîcheur feutrée. Insensiblement, le cœur très haut, ils avancent dans le pays nu des rêves de l'autre, ils inventent les armes de leur joie, croisent leurs bouleversantes beautés, poignets contre poignets, ventre sur ventre, et la lumière des sexes foudroie interminablement leurs corps, pour la première fois qui est la fois de toutes les fois et qui les laisse morts de plaisir et de saisissement.

Longtemps ils restent enlacés, nus. Ils sont les vigiles sacrés. Elle, ses seins ont une telle évidence de candeur qu'ils brûlent l'ombre. Lui, avec son sexe énorme encore, est labouré par l'inapaisable émoi. Ils respirent ensemble, barbouillés d'infini. Autour d'eux, la vie a repris, les myriades de feuilles battent au vent, découpant l'azur en petites étincelles froides, et les troncs puissants montent la garde contre les mauvais hasards. Le bois est enchanté. Tout vit, tout subsiste pour l'éclosion, en leurs deux corps, d'une seule âme de feu clair.

17

Mon Dieu ! pense Lucie, il faudrait bien jeter un peu de linge, on ne sait plus par où passer.

Elle vient d'entrer dans la chambre des garçons, où elle ne s'est pas risquée depuis plusieurs semaines. Elle conçoit cette pièce comme un refuge sacré pour ses mâles, qu'elle laisse bien libres de l'arranger comme ils l'entendent. S'ils répugnent au ménage, tant pis pour eux, ou tant mieux, puisque l'ordre est une vertu bien bourgeoise, la plus stérile de toutes. De ses ascendants amérindiens, croit-elle, Lucie a gardé un superbe mépris pour les consignes de propreté et de rangement. Elle sait d'instinct qu'il vaut mieux négocier avec l'ordure que la reléguer à l'extérieur où elle ira hanter tout le monde, avec la bénédiction municipale. Les dépotoirs n'empoisonnent-ils pas les nappes phréatiques ? Les égouts ne souillent-ils pas fleuves et rivières ? Aussi, loin de se dépiter, Lucie voit avec amitié les encombrements de linge et d'objets divers qui, dans la chambre des garçons, prennent des proportions plus grandes que dans le reste de la maison. Aux mâles, de toute façon, il ne faut pas demander le culte des vertus domestiques.

Dans ses mains, elle tient un bol plein de céréales et, parvenant à grand-peine à garder son équilibre, elle s'avance jusqu'au lit où dort Gervais. Il est environ deux heures de l'après-midi, et le soleil plaque sur le plancher un carré de lumière éblouissante qui se réverbère dans toute la pièce.

Elle pose le bol par terre, s'assoit près de son enfant couché en petit chien, tout nu, la face salie par les larmes. Son sommeil est tendu et il fait entendre soudain des gémissements. Elle hésite, se demande si elle doit l'arracher à ses cauchemars, puis pose la main sur son épaule. Il sursaute, reste un moment à la regarder et dit, faiblement :

— Maman.

— Bonjour, mon chéri. Comment vas-tu, maintenant ?

Il ne répond pas. Une sorte de torpeur fige ses prunelles vertes, privées de leur malice habituelle. Elle caresse son bras maigre, lui dit :

— Tu n'as pas froid ?

Il se blottit contre elle et les larmes affluent de nouveau, de gros sanglots le secouent des pieds à la tête. Les contractions de son corps lui arrachent d'autres cris de douleur.

— J'ai mal, j'ai mal, se plaint-il, c'est comme si on m'enfonçait une barre de fer ! C'est épouvantable !

— Mon pauvre petit ! Quand tu te sentiras capable de te lever, nous irons à l'urgence.

— Non. Il n'y a rien à faire.

— Pourquoi dis-tu cela? Je suis sûre que les médecins peuvent soulager ta douleur.

Il se tait un moment puis répond, très sombre:

— Non. Je le sais. Il faut que ça se passe.

Elle devine des choses qu'elle se refuse aussitôt à préciser dans son esprit. Le malheur présent suffit. Elle ne gagnerait rien à remonter vers d'autres révélations.

— Je t'ai apporté des céréales. As-tu faim?

— Non. Oui. Je vais manger un peu, tout à l'heure.

— Il faut prendre des forces.

Après quelques accès de douleur qui lui font serrer les dents, Gervais semble s'apaiser un peu. Soudain grelottant, il se rend compte qu'il est nu et veut se couvrir, mais le drap est roulé en tas et il n'arrive pas à le tirer à lui.

— Ne t'en fais pas, mon beau Gervais, susurre Lucie, je t'ai déjà vu tout nu. C'est moi qui t'ai fait, tu sais!

Il la regarde soudain, comme une vipère redressée, sifflant:

— Tu m'as donné la vie, et toute cette saleté, le sexe, tu m'as fait de toute ta merde, putain, tu m'as fait putain comme toi, maudite mère de merde! Va-t'en, je veux être tout seul! As-tu compris? Va-t'en! Je ne veux plus voir personne, sacrament!

18

Étendu sur le lit, le dos appuyé sur son oreiller plié en deux, la télévision en face de lui, Chonchon regarde le dernier enregistrement vidéo de Vanessa. La bouteille à la main, il marine dans un drôle d'état d'esprit fait de ressentiment et d'indulgence. Quand il voit ces virilités occuper les divins réceptacles, forcer une bouche souriante et manifestement accueillante — plus que cela : appelante — ou plonger dans le désordre humide du corps, parfois assaillir l'orifice pervers, son front se couvre des sueurs glacées de la jalousie. Les poings crispés, tous ses membres raidis pour résister à la flambée de honte, il doit vaincre une à une les pénibles émotions qui ont leur origine dans son enfance, la peur de l'enfer, le sûr sentiment d'être damné pour avoir accepté la déchéance où il croupit, et puis le goût de redevenir l'être pur qu'il a été jusqu'à ce que, adolescent, la masturbation le coupe à jamais de ses candeurs premières. Surtout, il éprouve de façon cuisante le sentiment de son infériorité en matière de copulation, lui qui a fait sept enfants à sa femme et qui ne l'a peut-être pas satisfaite une seule fois. Chez Vanessa seulement il a trouvé une sexualité accordée à la sienne, toujours en éveil et prompte à se résoudre. Et certes, il goûte presque à tout coup, avec sa bonne amie, l'orgueil des félicités partagées, mais il la sait trop avide pour se contenter de leurs brèves ivresses. Le projet de série vidéo l'a tiré d'affaire en donnant une caution professionnelle à des incartades de toute façon inévitables, sans compter le pécule qui arrondit bien les fins de mois. En ces temps de récession où même l'extravagance, en peluche ou non, se vend mal, Chonchon a vite compris le parti qu'on pouvait tirer de cette ressource si naturelle, toujours en demande, qu'est un beau morceau de femme. Vanessa elle-même en a eu l'idée. Elle lui a parlé d'un cousin à elle, rencontré récemment, qui lui proposait un rôle dans une petite production. Elle lui a fait accepter l'idée que c'était bien payé, que le rôle était léger, pas du tout collet monté et même complètement nu, et il l'a giflée une fois ou deux sans conviction avant de convenir : « Oui, mon lapin, il le faut. » Mais il a exigé de voir les produits, histoire de ne pas être dupe. Depuis, il rage devant chaque nouvelle prestation de la bonne amie, qui s'absente pendant ces vilains quarts d'heure et vient le retrouver après, humilié et brûlant de fièvre à soulager.

Le sujet d'aujourd'hui, au titre particulièrement idiot : *Des fleurs dans le verre à dents*, se développe en manière de petite comédie conjugale. Un mari, après avoir été dûment délivré par sa femme des tumescences du réveil, part à la course pour son travail. Aussitôt, un gentil bouquet à la main, l'amant arrive par la porte de derrière. La femme jette distraitement les fleurs dans le verre du mari, où l'on détecte quelque chose de rose — un dentier ! Les ébats entre les deux corps pulpeux sont longs et édifiants. Un grand nombre de positions sont méthodiquement expérimentées. Chacun semble éprouver un sincère plaisir à solliciter les réactions de l'autre. Survient cependant le mari : il a oublié son dentier. Quelle n'est pas sa surprise ! Puis sa colère ! Puis sa magnanimité, car il a l'esprit large et ne veut surtout pas provoquer le départ de sa femme, qu'il aime. On se serre donc la main, on s'embrasse. Dentier en bouche, le mari montre ce dont il est capable et une saine émulation s'ensuit, pour le plus grand bonheur de celle qui en fait les frais.

Voilà cependant que la porte de la chambre bouge de nouveau et qu'un tout jeune homme, beau comme un ange, le plumeau à la main, fait timidement son entrée. C'est l'homme de ménage ; il vient se mettre aux ordres de madame et ne perçoit pas tout de suite le caractère intempestif de son intervention. Il est tiré d'affaire par la patronne, qui n'a pas de peine à le faire agréer. Le jeune mâle se retrouve vite en tenue idoine, arborant un autre plumeau à faire, celui-là, blêmir d'envie ses compères. À sa vue, du reste, Chonchon est ravagé de douleur. Ce cousin-là, Vanessa ne lui en a pas soufflé mot, craignant sans doute ses reproches. Car enfin il pourrait être son fils : on hésite à lui donner dix-huit ans. Quel superbe morceau de jeunesse ! Décidément, là, Chonchon est dérangé. Tant qu'on s'en tenait aux classiques échanges pornos entre personnes de même acabit, qu'on respectait les règles, il n'y avait pas de quoi fouetter un chat. Mais introduire la Perversion, si gracieuse soit-elle, dans les choses du cul, voilà qui comporte trop de risques. Et puis, comment lui, Chonchon, supporterait-il la vue d'un tel assaut de beauté contre celle qu'il aime ? Cet enfant est une merveille ! Impressionnants, ses attributs n'ont toutefois rien que de gracieux et il en fait un usage magistral. Pis encore, les deux autres étalons se mettent de la partie et, à trois, ils sollicitent Vanessa de toutes parts. Comble d'horreur, la main du mari s'égare entre les fesses du Ganymède. Voilà qui dépasse les bornes. Il y a l'hétérosexualité et il y a l'homosexualité. Que des femmes, à la rigueur, se papouillent, qu'elles préludent ensemble à l'extase que leur apportera le mâle, voilà qui ne fait pas tomber le ciel de son lit et qui même, à la réflexion, n'a rien que de moral. Mais que l'homme prenne goût à l'homme et cherche en lui sa jouissance, cela ouvre toutes grandes les portes de l'inconnu, surtout si l'homme prétend rester sensible aux attraits naturels. Comment concevoir l'idée même d'un partage entre les sexes ? Comment aimer la femme et l'homme ensemble, sans sombrer dans la pire régression ? Chonchon, pourtant familier des chimères, entrevoit avec dégoût le paradoxe des chairs hybrides. L'imagination qu'il déploie dans son travail, pour la joie des enfants, à tricoter des surprises à même les mailles un peu lâches de la nature, proteste devant l'inconduite d'une main d'homme se portant tantôt sur une aréole frémissante, tantôt sur un torse rehaussé de dru poil d'or.

La mesure est comble lorsque Chonchon voit Vanessa, complètement subjuguée, recevoir dans sa bouche la luxure du nouveau venu. Elle a pourtant bien promis d'éviter les pratiques dangereuses. Se croit-elle immunisée ? Quelle preuve a-t-elle de l'innocuité du damoiseau ? Voilà qui est trop fort ! Il devra la chasser sous peine de se retrouver, quelque jour, contaminé. Oui, oui, c'est ce qu'il fera, dès qu'elle montrera le bout du nez. C'en est fini, d'être la dupe de ses protestations de bonne foi et de ses paroles d'honneur. Quelle misère !

Et pourtant il l'aime, malgré tous ses vices, il l'aime ! Elle est si gentille aussi, quand elle n'est pas menée par cette rage de plaisir, ou quand elle jette son ardent dévolu sur son Chonchon d'amour, son Chonchon grognon qu'elle s'entend à éplucher de ses morosités, une à une, comme un bébé dont on défait les langes. Oui, elle est bien une maman pour lui, une tendre mère aux lèvres pulpeuses, épaisses de rouge tirant sur l'orange, au petit nez coquin, coquillage plutôt, avec les volutes des narines s'enfonçant vers la nacre, et les yeux sans âme, verts comme la gaieté, la bonne joie de vivre, l'absence cordiale de réflexion.

Mais cette bonne amie se donne aux autres, à tous les autres, tire sa joie du premier venu, courtise les infections, flirte avec la plus dégradante des morts ! Pour le plaisir de communier avec la beauté crue d'une âme, d'avaler la semence terrible d'où l'être tire son origine, elle risque sa vie et celle de son compagnon qui, oui, a toujours été si bon pour elle — Chonchon est soudain bouleversé, des larmes de gin glissent sur ses joues pathétiques, son thorax est secoué d'authentiques sanglots. Ils se mêlent à ceux du téléphone, qu'il ne distingue pas bien d'abord de sa propre tristesse, mais qui finissent par le ramener à la réalité. Il renifle un bon coup et soulève le combiné.

— Allô, Chonchon ?

La voix trop mélodieuse l'atteint comme une gifle, il est presque tenté de raccrocher. C'en est trop, en plein milieu de son ivresse, de sa tristesse, de sa mauvaise ardeur, il faudra maintenant se rebrancher au passé, écouter la voix bonne, insupportable. Chère Lucie, chère petite maman !

— Allô, tu es là ?

— Oui, oui. Je t'écoute.

— Mon Dieu ! Ça n'a pas l'air d'aller très fort. Je te dérange ?

— Non... Attends un instant, je ferme la télé.

En se levant, il échappe la bouteille qui se renverse sur les draps. Il jure longuement, met la bouteille, dont il a pu sauver une partie, en sécurité sur la table de chevet et, maussade, reprend l'appareil.

— Bon, voilà. Je viens de mouiller mon lit, mais pas avec du pipi. Chrisse, j'ai renversé ma bouteille ! fait-il avec un rire dégoûté.

Lucie rit aussi, par politesse, puis elle passe aux choses sérieuses.

— Mon beau Chonchon, il y a longtemps que nous ne nous sommes parlé. Est-ce que tout va bien ?

— Oui, ça va, merci, ça pourrait aller pire. Et toi ? et les enfants ?

— Voilà justement pourquoi je t'appelle. Chonchon... Chonchon, je ne t'ai pas souvent ennuyé avec les histoires de la maison, depuis ton départ, tu ne peux pas me contredire là-dessus. Eh bien... là, j'aurais besoin de toi. Vraiment !

Chonchon, tout étonné, entend de gros sanglots au bout du fil. Il écarte un peu l'écouteur de son oreille, laisse passer du temps, puis, gagné par l'émotion, il demande :

— Ça va si mal que ça ? Qu'est-ce qui se passe, ma belle Lulu ?

— Je n'en peux plus, Chonchon, je n'en peux plus ! On dirait que tout se détraque, que tout se retourne contre moi. Un homme, tu sais, dans une maison, un vrai chef de famille, c'est important. Moi, je ne peux pas arriver à tout faire, à subvenir à tous les besoins. Ce n'est pas un reproche que je te fais, mais c'est pour t'expliquer un peu. Il y a des moments où ton absence est très lourde à supporter. Actuellement, rien ne va plus.

— Je comprends, ma Lulu, mais tu te souviens de ce que c'était, les derniers temps. La présence de quelqu'un est parfois plus lourde à supporter que son départ. Qu'est-ce que tu me demandes, là, au juste ? Tu ne veux tout de même pas que je retourne vivre avec vous autres ?

— Non, bien sûr, je sais que tu as besoin de ta liberté. Mais si tu pouvais, peut-être, passer quelques jours ici, je crois que ça réglerait bien des problèmes. Et les enfants seraient si contents !

— À propos, Étienne t'a raconté qu'il est venu me présenter sa petite amie ?

— Oui ! J'étais tellement heureuse qu'il pense à toi, dans une circonstance pareille ! Ah ! ce qu'il doit être fier de lui, et fier de toi, tu sais ! Justement, après ce qu'il m'a dit, j'ai pensé que tu pourrais venir nous donner un coup de main, si ce n'est pas trop te demander. Je ne veux pas t'empêcher de travailler, mais tu pourrais arriver le soir et repartir le matin. Pendant quelques jours seulement, pour nous aider à retomber sur nos pattes.

— Mais veux-tu bien me dire ce qui ne va pas ? Étienne ne m'a parlé de rien.

— Il y a un tas de choses.

Elle lui raconte, de façon désordonnée, les visites du curé et du conseiller municipal, la quasi-noyade de Corinne, les frasques de Gervais, les traitements infligés au pauvre garçon. À travers les bribes du récit tout enchevêtrées, Chonchon perçoit suffisamment d'horreurs pour que ses humeurs troubles, mêlées de gin et de lubricité, tournent à l'indignation.

— Eh bien, attends-moi, ma Lulu, je serai là ce soir pour le souper et ensemble, tu verras, on va les régler, tes hosties de problèmes, ça ne sera pas long !

Comme si elle entendait la voix du sauveur, Lulu s'exclame de bonheur et de reconnaissance anticipée, et Chonchon remet en place le combiné. Une résolution énergique vient de se présenter à son esprit. N'est-ce pas l'occasion rêvée de mettre un peu d'ordre dans sa vie et de rompre avec la créature qui lui fait courir les plus grands dangers ? Il s'empare d'un bloc-notes et griffonne, en serrant les dents :

Vanessa de mes fesses,

J'ai vu ton dernier enregistrement. Bravo ! Tu te les tapes tout jeunes, maintenant ! Et beaux, à part ça. Il a dû t'en donner, du sale plaisir, celui-là ! ORDURE !

Moi, j'en ai assez de côtoyer l'abîme. Si tu veux mourir sidatique, ou sidéenne comme ils disent, c'est ton affaire. Mais moi, je suis propre. Garde tes microbes pour toi. Je ne supporte plus de me faire traîner dans la boue par une salope de ton espèce. Décolle ! DÉCAMPE !

Je dois m'absenter pour quelque temps, mais je veux que tu débarrasses la maison AUJOURD'HUI MÊME. *Va coucher avec tes petits gars, ils aiment ça, les vieilles comme toi dans leurs maudits draps tout pourris !*

Dire que je t'ai aimée ! Ne remets jamais plus les pieds ici.

Chonchon.

19

Après avoir raccompagné Odile jusqu'au pavillon du terrain de golf, Étienne est revenu vers le pont. Il attend, pour s'y engager, que le train de six heures soit passé. Un grondement, qui croît rapidement, se fait entendre et il aperçoit bientôt, en tête de la courbe qui la dissimulait aux yeux, la masse carrée du wagon-locomotive qui fonce en sa direction. Bien qu'il soit suffisamment à l'écart, il recule un peu et soutient, sans broncher, le regard torve du chauffeur. Il est interdit, bien sûr, de marcher le long de la voie ferrée et, plus encore, d'emprunter le viaduc, mais la police n'intervient jamais et le personnel des convois ou les cheminots se contentent, quand ils le peuvent, d'enguirlander les contrevenants.

Son après-midi consacré aux bouleversantes découvertes de l'intimité charnelle a laissé Étienne avec de la ouate dans les mollets et un ravissement inexprimable au cœur. Il ne respire plus qu'avec, devant les yeux, la vive mémoire d'un visage rayonnant de la très douce douleur d'aimer et battant des pulsations du consentement. Don du corps depuis la plus profonde volupté, don des larmes et du baiser, embrasement de tout l'être secoué, fagot remué dans la pluie de feu. Odile brûle en lui ; et lui, par ses bras, par le faisceau des os dressé sur la terre nue, flambe de jeune et belle vérité, encore plein d'enfance et déjà mûr pour les accomplissements d'homme.

Mou de corps, vague, mais comblé de la plus exceptionnelle joie d'amour ; ébouriffé, les yeux soulignés de petits traits de nuit comme une cendre bleue, Étienne se tient à côté du train qui termine sa halte puis se remet doucement à rouler. Quelques voyageurs ont la tête à la fenêtre et contemplent distraitement les hauts pins en bordure du terrain de golf. Un espacement permet d'entrevoir un green et quelques joueurs qui y poussent la balle. Étienne regarde le train prendre de la vitesse quand, soudain, il s'entend interpeller. D'une des fenêtres, son père lui adresse un grand sourire en agitant la main. Étienne lui rend son salut, mais une angoisse l'étreint aussitôt. Sans aucune raison, il lui apparaît que cette visite trop rare, dans les circonstances, n'annonce rien de bon.

❑

Au moment où Étienne arrive, Chonchon n'a pas fini de répondre aux démonstrations de joie des enfants, en particulier de Fernand qui prétend à la position de favori. Quand Chonchon est là, il est entendu que le jeune instable a droit à la plus grande part des attentions, ce qui n'empêche pas ses accès de jalousie et une crise violente chaque fois que le père reprend son chemin solitaire.

Chonchon a donc pris soin de cajoler en priorité son plus vulnérable, puis il s'est laissé griser par les caresses de ses filles qu'il aime bien, en particulier les aînées. Mais la vue de Frédérique, devenue une vraie femme depuis sa dernière visite qui remonte à plusieurs mois, lui cause un choc. Le visage, jusque-là assez quelconque, prend une telle allure de royale beauté, de cette royauté qui rayonne au fond des forêts souveraines, qu'il en est médusé. C'est tout le portrait de Lucie ! Quand, il y a vingt ans, il a rencontré celle qui deviendrait sa femme, un même éclat de nuit et de mystère, répandu sur un corps étroit, à la sensualité sourde, mais irrésistible, l'avait ensorcelé. On aurait dit la beauté ambiguë d'un garçon, n'eût été la poitrine délicieusement provocante et la tendre inflexion du bassin.

— Toi, ma petite bougresse, c'est effrayant ce que tu ressembles à ta mère ! fait-il en la contemplant longuement.

Elle sourit, un peu confuse sous le regard qui la détaille, la fouille presque et rend jalouse, elle le sent, Marie-Laure qui attend son lot de compliments. Mais Étienne s'interpose et donne une virile poignée de main à son père.

— Salut, mon garçon ! Alors, tu traverses le pont des trains à pied ? C'est dangereux, ça.

— Oui, mais c'est gratis. Le danger, ajoute-t-il en riant, c'est toujours gratis.

— Tu te souviens de Ti-Nest Laroche qui s'est noyé ?

— Bah ! lui, il n'avait pas grand-tête sur les épaules. Moi, le vertige, je ne sais même pas ce que c'est. Et je m'arrange pour ne pas traverser en même temps que les trains.

— Bon. Tu es assez grand pour savoir ce que tu fais.

Lucie, silencieuse depuis l'arrivée de Chonchon, assiste avec émotion à la reprise de contact entre le père et ses enfants. Peut-on imaginer une fête plus magnifique, dans sa simplicité ? N'est-ce pas comme si l'ordre des choses quotidiennes était soudain chambardé, redéfini depuis un axe essentiel ? Le père ! Elle se souvient du vieil homme, son père à elle ; des longs tête-à-tête pleins de silence et d'affection entre l'universitaire mélancolique et elle, son enfant qui ne pouvait imaginer le monde sans la petite maison pleine de livres poussiéreux, la cheminée où les braises figuraient d'ardentes catacombes, la mère intermittente, souriante et distraite, que sa folle imagination jetait dans des sentiers pleins de ténèbres. La fillette s'accrochait à l'homme pathétique qui, tant bien que mal, suppléait auprès d'elle la vagabonde, l'enveloppait d'une tendresse précise et désespérée.

Ici, c'est elle, le pilier, et son homme va et vient à sa guise. Chonchon n'a jamais été vraiment un père. Il s'est réfugié en elle comme un petit dans le giron de sa maman. Il lui a fait les enfants qu'elle a voulus, une progéniture de conte pour une mère l'Oie un peu cigale, et qui danse maintenant. Lui aussi danse, et comment ! Mais aujourd'hui, elle veut croire que ce temps-là est révolu et qu'ils pourront mettre un peu d'ordre dans leurs affaires. Après tout, les menaces des derniers jours prennent un ton sérieux, et elle ne pourra pas toujours s'en défendre par le chantage, comme celui qu'elle tient en réserve contre ce pauvre curé à qui elle a fait voir la lune et les cent étoiles. Le souvenir de cette chair grasse et blafarde lui inspire un peu de honte, en présence de son époux. Heureusement, elle a changé les draps. La vie normale peut reprendre.

— Mais où donc est Gervais ? s'enquiert Chonchon.

— Il est couché, le pauvre, explique Lucie. Il a été vraiment très ébranlé, en raison de...

— Oui, tu m'as raconté ça au téléphone. Les maudits verrats !

— S'il te plaît, ne parlons pas de ça devant les enfants.

Fernand éclate de rire. D'un ton très dégagé, il explique :

— Voyons, maman ! Nous sommes tous au courant, tu sais bien ! Imagines-tu que nous n'avons jamais entendu parler de ces choses-là ? Même Babette pourrait t'en apprendre, sur le sujet...

Bernadette écrase un rire derrière sa main.

— Mon Dieu ! moi qui voulais que mes enfants restent purs le plus longtemps possible ! Dans quel monde vivons-nous, Seigneur ? Ah ! je comprends qu'on n'ait pas davantage le respect de la vie, de nos jours, et que les jeunes femmes n'hésitent pas à se confier aux mains criminelles des avorteurs !

— Bon, commente Marie-Laure, la voilà qui retombe dans ses rengaines !

— Ma fille, tu sauras que la vie, c'est ça qui est important, et qu'un peuple qui supprime ses enfants est un peuple condamné. Toi qui nous jettes toujours tes religieuses à la tête, « sœur Une telle a dit ceci, sœur Telle autre a dit cela », vas-tu soutenir le contraire ? De quoi vous parlent-elles, les vieilles frustrées ? Des bienfaits du condom ?

— Non, si tu veux savoir. Elles n'abordent jamais de sujets vulgaires. Avec elles, il n'est question que de choses raffinées, au-dessus de notre condition matérielle misérable.

— Elles pètent plus haut que le trou ! beugle Chonchon qui, ennuyé par la discussion, s'approche de la table et s'assied. Bon, moi, j'ai faim. Si vous avez faim, vous autres, faites pareil. Tiens, Étienne, viens t'asseoir à côté de moi.

— Moi aussi, clame Fernand qui s'élance, prêt à disputer la faveur.

— Bien oui ! Tu sais bien, mon Fernand, que je ne t'oublie pas. Fernand à la droite du père, et Étienne à la gauche. On se croirait au ciel !

Il émet un grand rire épais, puis sort de la poche arrière de son pantalon une flasque de gin. Il prend de longues goulées et présente la bouteille à Étienne, qui se sert modérément.

— J'en veux, moi aussi ! réclame Fernand.

— Hein ! Toi ? Tu n'as pas encore le nombril sec !

— J'en veux, reprend Fernand en lâchant un juron énorme.

— Mon petit calvaire, si tu es capable de sacrer comme un homme, tu es capable de boire aussi. Tiens, mais ne vide pas la bouteille !

Triomphant, Fernand prend le flacon en riant, malgré les molles protestations de Lucie, le contemple avec des hésitations, puis y porte les lèvres. La goutte qu'il absorbe provoque aussitôt l'étouffement, et toute la table s'esclaffe bruyamment. Fernand participe d'abord à la gaieté générale, puis la susceptibilité le gagne et il devient cramoisi de fureur.

— Cessez de rire de moi, mes hosties!

Il se met alors à pousser son long cri continu des crises et à taper du poing devant lui, au risque de se blesser sur les ustensiles. Chonchon, d'un air suprêmement dégoûté, s'exclame:

— Bon, le voilà reparti, celui-là! Allez donc le conduire dans sa chambre. Je n'ai pas le goût de l'entendre crier.

Il rencontre alors le lourd regard de Lucie et baisse les yeux.

❏

— Et toi... comment t'appelles-tu, déjà?

— Corinne.

— Ah oui! Eh bien, Corinne, tu te plais ici, dans ta nouvelle famille?

— Oui, monsieur.

— Hé! je ne suis pas «monsieur», je suis ton père. Dis-moi: «Oui, papa», ou encore: «Oui, Chonchon.»

— Oui, mons... Oui.

— Et toi, mon petit Serge?

La question tombe dans un silence gêné.

— Tu veux dire « Stéphane », Chonchon ?

— Oui, oui. Serge, Stéphane !... Es-tu content... — diable, qu'est-ce que je veux lui demander ? — ... es-tu content que ta sœur ne se soit pas noyée ?

— Vraiment, papa ! proteste Étienne.

— C'est une blague, se reprend Chonchon. Bon Dieu, je suis fatigué ! Moi, les réunions de famille, j'en ai perdu l'habitude. Je n'arrive même plus à me montrer aimable.

Il rit, cherche un peu de complicité dans les regards autour de lui, mais ne rencontre que perplexité.

Après un repas plutôt morne où les rares tentatives d'humour des uns se sont croisées avec les paroles graves des autres, Chonchon tenant aussi dignement que possible sa place de père au bout de la table, Lucie, qui paraît soudain très pâle, dit de sa voix chaude :

— Eh bien, les enfants, nous allons faire place nette. Toi, Chonchon, tu serais bien gentil de monter voir Gervais, qui doit t'attendre, et de dire à Fernand, s'il s'est calmé, qu'il peut redescendre. D'accord ?

— Bon, j'y vais. C'est plus amusant que d'essuyer la vaisselle !

— Il ne s'améliore pas, grommelle Marie-Laure après qu'il a quitté la véranda.

— Laissez-lui le temps, dit Lucie. Il vient tout juste de reprendre contact. Le pauvre, il s'est désaccoutumé de la famille.

— Avec sa putain, intervient Vincent, la vie doit être bien différente. Un bécot par ci, un bécot par là...

— De quoi te mêles-tu, toi ? Tu en as, une façon de parler de ton père !

Vincent ricane et se replonge dans sa lecture. Lucie, les deux mains dans l'eau de vaisselle, ressent tout à coup une sourde douleur dans la fesse gauche. On dirait que son corps réagit tout d'un bloc à la tranquille horreur de son existence, dont elle prend maintenant une conscience suraiguë. Sa vie est là, devant elle, comme une pile d'assiettes sales plongées dans la soupe au savon, une pile d'écœuranteries où elle reconnaît un à un ses rêves d'enfant souillés, marqués, craquelés, ébréchés, qu'elle nettoie mécaniquement en vue d'autres salissements, d'autres détériorations, menues promesses de mort. Elle ne fait pas le bilan de ses détresses. Elles sont là, en tas, devant elle, qui balbutient dans la mousse amère. Sa fesse lui fait maintenant très mal et elle gémit, longuement, elle est un peu étourdie. Autour d'elle il y a du mouvement, et quelqu'un la prend, la soutient, quelqu'un a mis la main sur son épaule. Elle entrevoit le bon visage d'Étienne, les yeux très noirs qui s'inquiètent, qui interrogent. Tout s'assombrit, tout sombre. Elle a très chaud, elle sombre.

20

— Ça ressemble au coma diabétique, dit l'un des ambulanciers. Nous la transportons immédiatement. Vous, les enfants, dégagez !

Les deux hommes vont en vitesse chercher la civière, y installent Lucie, inerte et blanche comme la mort sous le regard des enfants et de Chonchon qui font un cercle un peu à l'écart. Curieusement, personne ne pleure, pas même la petite Bernadette ; comme si l'événement était trop grave, ou trop étonnant. Les larmes viendront plus tard, quand elle ne sera plus sous leurs yeux, gisant équivoque.

— Vous montez avec nous ? demande le conducteur à Chonchon.

— Euh !... non. Tiens, vas-y donc, Étienne, je vais m'occuper des enfants. Il est majeur, ajoute-t-il à tout hasard.

— C'est pour l'enregistrement. N'oubliez surtout pas la carte d'assurance-maladie.

Étienne pénètre dans la chambre de Lucie, trouve la carte dans le sac à main puis rejoint les hommes au pas de course.

Les portières claquent et aussitôt la sirène émet des bruits déchirants et grotesques, comme si le véhicule manœuvrait en pleine circulation. Par la vitre arrière, Étienne voit ses frères et ses sœurs assemblés, ainsi que Chonchon qui raconte l'événement à quelques voisins.

À côté de cette grande forme étendue, Étienne éprouve une immense tristesse. Il voit Lucie comme si elle devait les quitter pour toujours, s'en aller sur sa couche de terre et de ténèbres, s'enfoncer dans l'oubli des corps perdus. Il regarde le front étroit, bombé, encadré de cheveux qui grisonnent, le nez droit qui conserve la noblesse d'antiques races disparues, la bouche sensuelle et pure, aux lignes harmonieuses, qui semble n'avoir été faite que pour prononcer des mots d'affection et d'espoir. Sur ces traits, cependant, la lassitude a écrasé son fard livide, et la masse un peu grotesque et déformée du corps reconduit cette vague déroute. Devant cette femme allongée, Étienne ne peut s'empêcher de revivre l'enchantement de l'après-midi et les tendres, sauvages possessions d'un corps doux et émerveillant. Brassée de lis, de fougères, de glaïeuls ! Il revoit les seins dressés, extraordinairement émouvants, il y pose ses lèvres comme sur le cœur du monde, l'étoile double, le Dieu deux. Les deux seins sont un seul sein, une mie. Ô âme !

L'ambulance arrive bientôt à l'hôpital et la malade est expédiée dans une petite salle de consultation pendant qu'on dirige Étienne vers l'enregistrement. Il se souvient d'être venu, trois ans plus tôt, dans ces lieux d'affairement perpétuel, accompagné de Lucie. Il était tombé de bicyclette et s'était ouvert le genou. La blessure, gratinée de sable fin, avait été longue à nettoyer. Aujourd'hui, c'est lui qui sert de béquille à sa mère, à la place de Chonchon qui s'est défilé parce que la douleur l'inquiète ou le laisse indifférent. Elle l'inquiète plutôt, elle l'obligerait à se hausser au-dessus de lui-même, à un niveau où il risquerait de voir se présenter à lui des conjonctures imprévues. Chonchon n'est pas l'homme de telles sollicitudes. Étienne perçoit mieux que jamais le fond de lâcheté qui a toujours empêché son père d'occuper sa place auprès des siens.

Il en éprouve de la tristesse, mais non de l'accablement. Car maintenant, l'homme, c'est lui. Il est le support de Lucie et sera celui de toute la famille. Jusqu'ici, il assumait les maigres responsabilités que lui confiait sa mère, peu soucieuse de déléguer les devoirs et les charges de la vie adulte. Elle aimait trop l'enfance pour priver du moindre rayon, du moindre morceau d'azur les existences que le Dieu bon lui avait confiées. Elle s'acquittait de toutes les tâches en les subvertissant tant qu'elle pouvait, et menait sa vie de mère de famille comme une partie de plaisir, toujours étonnée de se découvrir grande et grosse au milieu de sa turbulente marmaille. Maintenant il prendra doucement, mais fermement, la place qu'elle occupait, que Chonchon a refusée. Il sera le chef. Il le fera pour eux, pour lui aussi. Car il devra les quitter un jour, bientôt peut-être. Et quand il les quittera, il faudra qu'ils puissent continuer sur la bonne lancée. Et il ira, lui, fonder son propre foyer, bâtir sa maison. Il y entrera avec une femme toute gracieuse, et ils y feront tout l'amour, ils y feront le monde et la roue des jours.

❏

Vers dix heures, Étienne, qui titube de fatigue, rentre à la maison. Il a parcouru à pied les trois kilomètres qui séparent l'hôpital de chez lui. Quand il pousse la porte, il trouve le salon éclairé, mais vide. De la véranda lui parviennent des voix et il s'y traîne. Chonchon, Gervais, Vincent et Fernand jouent tranquillement aux cartes.

— Salut ! Et alors ? s'enquiert sobrement Chonchon.

— Je n'ai pas pu la voir, mais on m'a assuré que tout allait bien.

— C'est exactement ce que je pensais. On ne t'a pas dit ce qu'elle a ?

— Non. Je suppose qu'elle te l'apprendra elle-même demain, au téléphone. Il me semble qu'elle doit être surtout très fatiguée. Les événements des derniers jours l'ont beaucoup énervée.... Mais il y a peut-être autre chose.

— L'infirmier parlait de diabète...

Sous la lumière crue de la lampe, les conjectures flottent un moment, puis le divertissement reprend ses droits. Gervais abat bruyamment ses cartes en poussant un cri de triomphe.

— Toi, ça va mieux ? lui demande Étienne en posant la main sur son épaule.

— Oui, fifi.

— Pourquoi me dis-tu ça ?

— Parce que tu me touches. Ôte ta sale patte de sur moi.

Décontenancé, Étienne retire sa main, sous les rires malicieux des plus jeunes.

— Hé ! vous autres, intervient Chonchon, ne vous mêlez pas de ça. D'ailleurs, je vous ai assez endurés. Allez vous coucher.

— Papa ! protestent-ils d'une voix commune, ce qui les fait rire encore plus.

— Allez, ouste ! Sinon, je me fâche.

Ils font comme s'ils n'avaient rien entendu. Soudain, Chonchon abat son poing sur la table et manque renverser la bouteille à moitié pleine qu'il a devant lui. Les jurons qu'il éructe, son air furibond finissent de convaincre les récalcitrants. Ils quittent la pièce sans un mot.

Chonchon prend une longue lampée qui le laisse abruti et songeur. Devant Gervais et Étienne qui l'écoutent distraitement, chacun étant absorbé par son opéra intime, il monologue d'une voix empâtée.

— Moi... moi, les enfants j'aime bien ça, mais pas trop longtemps et pas trop à la fois. Je ne parle pas pour vous deux, là. Vous, vous êtes capables de vous taire et de réfléchir. Mais les plus jeunes... Les plus jeunes, ce n'est pas toujours facile. Câlisse !... Votre mère, elle, elle aime bien ça, les petits enfants. Elle en voulait dix, douze ! Imaginez, douze enfants ! Je lui en ai fait sept, et elle est allée en adopter deux autres, comme si elle n'avait pas assez de problèmes comme ça ! Pour elle, l'argent, ce n'est pas important. Ça ne lui fait rien, la pauvreté. La misère. La misère bleue, tabouère ! (Il rit.) La misère, c'est comme la peur. Plus on en a, plus ça rayonne ; c'est comme une royauté autour de soi, on devient le roi, la reine de quelque chose. La reine du bien-être social !... Regardez ça, autour de vous. Tout traîne. Les gens pensent que c'est pauvre, chez les Tourangeau, mais il y a dix fois plus de linge que dans toutes les maisons des riches. Il y a tellement de linge qu'on ne sait plus où le mettre. Il y en a des tas partout. Est-ce que ça a du bon sens ? On pourrait ouvrir un commerce ! Du beau vieux linge de gens bien nourris, qui ne suaient pas fort et qui n'usaient pas grand-chose, à part leur fond de culotte, assis devant la télévision. Ça, mes enfants, c'est l'abondance. Nous vivons dans une société d'abondance et, le pire, c'est que les riches ont imaginé d'étouffer les pauvres avec leur abondance, et de faire leur dépotoir chez nous. Regardez ! Est-ce une maison, ça ? Eh bien, non : c'est un trou. Un grand trou. On y a mis votre mère, vous autres, et on a déchargé sur vous une montagne de charités. Tiens, Étienne, prends donc un petit coup, ça va te réveiller. Tu me dors en pleine face.

— Je vais plutôt me coucher. Je suis complètement épuisé.

— Ah !... une petite amie, c'est dur pour le système, hein ? fait Chonchon avec un rire gras.

— Lui ? dit Gervais. Il n'est rien qu'un maudit fiffe.

— Allons, allons, toi ! objecte Chonchon. Je l'ai vue, son amie, et c'est une beauté rare. Et gentille, à part ça. Comment s'appelle-t-elle, déjà ?

— Bonne nuit ! jette Étienne en les quittant rapidement.

— Elle s'appelle Bonne Nuit, glousse Chonchon. Ah ! quelle misère ! fait-il en retombant dans sa méditation. On est le père de sept beaux enfants, et quand on veut parler un peu avec eux, faire connaissance, il n'y a pas moyen de converser plus de cinq minutes. Sauf toi, mon Gervais, toi qui me ressembles le plus... Es-tu content de me ressembler ? Nous sommes pareils, ciboire ! La même face, le même corps... Enfin, il y a longtemps que je ne t'ai vu au grand complet, mais...

— Ma foi, es-tu comme maman ? Cet après-midi, elle me disait, tout émoustillée, qu'elle m'avait vu tout nu ! Je vais croire que le monde entier veut me violer, hostie de christ ! Je suis écœuré, moi, écœuré !

— Ne t'en fais donc pas pour ça, mon pauvre garçon ! Tu trouves ça effrayant, que ces maudits chiens sales t'aient poussé leur matraque dans le derrière, mais quand on y pense, qu'est-ce qu'il y a de grave là-dedans ? Dans mon temps, c'est les curés qui faisaient ça. L'important, mon garçon, c'est que tu n'aies pas aimé ça. Ça prouve que tu es un homme, un vrai ! Mais un vrai homme, quand il est pauvre, est exposé à bien des outrages. Il faut passer par-dessus ça. Il n'y a que les bourgeois qui mettent leur honneur et leur vertu au-dessus de tout.

Il réfléchit un instant, puis conclut :

— C'est eux, les vrais fiffes.

Gervais regarde son père, dont la lumière crue accentue le teint blême et fait ressortir la physionomie d'ivrogne. Il se lève soudain et s'élance dehors en faisant claquer la porte-moustiquaire. Chonchon entend les efforts violents du vomissement.

— Câlice ! pense-t-il, complètement déprimé. Une autre petite nature ! Dans le fond, il doit être un fiffe qui s'ignore.

❑

Quel était-il, ce monstre, quelle était cette bête qui la traquait, qu'elle fuyait à petits pas, ses genoux étant pleins de sable, ses jambes molles comme de la guimauve ? Frédérique, les yeux grands ouverts, n'arrive pas à s'en souvenir. Elle a eu très peur, mais, dès qu'elle est sortie de son cauchemar, elle n'a plus été capable d'en ressaisir la trame. Il y avait seulement cette fuite, cet empâtement. Autour d'elle, tout est calme. Nuit profonde. Grâce à la lumière du réverbère dont les rayons poignardent l'obscurité jusqu'au fond de la chambre, elle distingue clairement le profil de Marie-Laure, couchée dans le petit lit voisin. Quand elle dort, qu'elle n'est pas obsédée par son souci de bien faire et d'imiter les religieuses qui l'instruisent, Marie-Laure rayonne de paix et de beauté. Comme transfigurée. Elle oublie même les servitudes du corps, la serviette sanglante entre ses cuisses, cela qui la voue à l'amour et au mépris des mâles. Quels rêves fait-elle, pleins de mains douces, de sourires, d'enveloppements tièdes ? Du moins, il n'y a pas de bête dans les images de sa tête, rien qui l'agresse et l'oblige à se sauver, les pieds dans le ciment. Frédérique l'envie. Jamais Marie-Laure ne fait de cauchemar, jamais ses lèvres ne se pincent sur un gémissement. Sommeil de plume au vent, ou de bâton ballotté par la vague, blond et gavé d'eau. Inlassable bercement du rêve.

Une main sur son sexe, surmonté depuis peu d'une drue toison noire, l'autre effleurant distraitement ses seins déjà magnifiques, Frédérique cherche à comprendre ce qui la tient éveillée. Il y a quelque chose. Ce n'est pas la chute de Lucie, son lent effondrement entre leurs bras, son visage qui s'est refermé, les privant tous de sa lumière. C'est autre chose... ah oui ! bien sûr. Voilà. À côté de Lucie, elle voit cette tête, cet homme. Tête bien rebutante, aux cheveux d'or clairsemés, aux zones de peau tantôt rouges, tantôt blêmes, aux traits cruels ; et ce regard, ce regard laid sur elle. Ce regard vert comme les mousses sales du bord de l'eau, qu'on cueille au bout d'un bâton et qui, égouttées, se réduisent à un pinceau de glaires. Un vert lavé, décoloré par l'alcool et la vie facile. Pourtant, elle y a vu s'allumer quelque chose, une étincelle quand il l'a rattachée à la chimère du passé, à cette Lucie-luciole illuminant la forêt vierge. En un éclair, Frédérique se rêve en sa mère, princesse nue accueillant et avalant son petit poète blond, Chonchon aux doigts de fée et aux désirs de papier mâché. À cause de ce regard égaré...

Les stridulations des criquets s'imposent maintenant à son attention et la tiennent éveillée. Sa mince chemise de nuit lui cause tout à coup une sensation de chaleur insupportable, et son dos lui semble cuire sur des braises. Elle s'assoit dans son lit, commence à retirer son vêtement léger, au risque de scandaliser sa sœur si celle-ci la découvre nue au petit matin, puis se ravise. Il vaut mieux se lever, descendre à la cuisine et boire un verre de limonade, manger peut-être une croûte. Elle fait rarement de telles expéditions nocturnes, mais insomnie oblige.

Pieds nus, les bras tendus pour se raccrocher aux murs en cas de chute dans l'escalier obscur, elle parvient sans problème dehors, sur la plate-forme de bois, et s'attarde un moment à respirer le bon air. Il doit être très tard, car on n'entend plus la rumeur des voitures et des motos sur la grand-route. Les criquets seuls commentent les derniers vestiges de chaleur avec un entrain mécanique. De la rivière tout près vient le bruit de plongeon d'un poisson ou d'une grenouille.

Fascinée par la masse de ténèbres et de silence, Frédérique se laisse doucement aller à la peur. Elle imagine des matérialisations de menaces, dirigées contre sa jeune arrogance court vêtue, sa silhouette blanche dans toute cette ombre. Un être de nuit surgit, la casse, la soumet... Un jour, un homme... Il la déchirera, lui enfoncera le plaisir par tous les trous, la bourrera. La farcira de grosse joie.

Elle voudrait ressentir l'épouvante, mais ça ne vient pas. La distraction finit par l'arracher à son désir informe, et un froissement d'herbes soudain la ramène à la réalité. Ça y est, elle frissonne et, vivement, elle pénètre dans la maison.

La véranda, à l'arrière, est tout illuminée. Que se passe-t-il? Elle s'y dirige et découvre Chonchon seul, endormi sur sa chaise. Que faire? L'éveiller ou le laisser cuver son mauvais alcool? Elle décide de se servir d'abord de la limonade et de grignoter un gâteau. Puis, sur le point de quitter la pièce, elle prend pitié de l'homme écrasé sur la table. Elle essaiera au moins de le guider jusqu'à son lit. Elle pose la main sur cela, doucement, cela qui ronfle et qui gémit, elle remue, doucement, sans succès, puis elle recommence, plus fermement, insiste. L'homme ouvre un œil en râlant, marmonne des mots où Frédérique croit reconnaître un nom, Vanessa, qui est le nom de sa compagne ; il fixe le visage devant lui, ses yeux fixent, s'emplissent peu à peu de quelque chose d'or.

— C'est toi ?

— Je suis descendue, j'avais soif. Je t'ai vu.

— Oui... Je me suis endormi.

Il bâille longuement, écrase quelques rots, soupire :

— Maudite boisson !

Puis il se ressaisit.

— Mais je ne suis pas soûl, tu sais. Je ne me soûle jamais. Je suis seulement un peu... Merde, il faut bien se faire vivre, non ? S'aider un peu... Qu'en penses-tu ? Je ne sais pas, moi, ce que tu penses. Viens, approche-toi. Une belle fille !... C'est joli, très joli ta chemise, ces petites fleurs... Tu as l'air d'une princesse, baptême !

Elle s'approche, à la fois attirée et ennuyée ; heureuse de connaître un peu la tendresse de ce père qui a tant manqué à son enfance, malgré les effusions passionnées qui n'étaient pas de l'affection pour vrai ; et rebutée par cette laideur du visage que hantent encore des restes de beauté. Il était beau, Chonchon, au fond de ses souvenirs. Il sourit maintenant, et un morceau de prunelle verte, entre les paupières gonflées, a la fraîcheur attendrissante des herbes. Il lui prend la main, reste sans mot dire, à la regarder. Un petit vertige s'empare d'elle.

— Comment fais-tu, susurre-t-il, pour être belle comme ça ? Sans maquillage, sans rien ? Juste avec ta peau, tes lèvres... Et puis tes yeux, qui apprivoiseraient les loups tant ils sont... Ils sont comme la nuit, tes yeux...

Frédérique constate tout à coup que ça peut tourner mal, le désir s'est éveillé dans l'homme, et elle cherche fébrilement le moyen de le quitter sans déclencher de drame, sans faire d'histoire, une fille embrasse gentiment son père avant d'aller dormir. Elle penche la tête vers lui, l'embrasse sur le front :

— Bonne nuit, papa. Il faut se reposer, maintenant.

Mais la grande main d'homme s'est refermée sur la sienne et la retient. Il est très pâle et fixe son regard sur elle en haletant. Sa voix coule de lui comme celle des cauchemars.

— Non, non, reste... Reste, ma petite fille, ma soie, nous nous connaissons si peu... Si tu savais comme tu lui ressembles, à Lucie, quand je l'ai connue ! La première fois, Lucie... J'ai failli mourir quand j'ai vu son poil... tout son poil noir, une vraie gifle au cœur... J'ai vu des étoiles... Et ses seins...

— Lâ... lâche-moi. Lâche-moi ou je crie.

Il emprisonne sa taille et la tire à lui. Elle tremble, elle pleure à petits coups, se débat sans succès, les yeux d'ivrogne fixent un point au-dessus d'elle, il est possédé par quelque chose, une rage, il la presse contre lui et elle crie, un long cri de femme qui déchire la nuit, un cri qui fend la vie de haut en bas et qui alerte tout ce qui gît dans la boue du sommeil.

Les enfants couchés à côté appellent dans l'ombre, Bernadette s'est mise à hurler de frayeur. Soudain, la porte de devant s'ouvre et Étienne, à moitié vêtu de sa robe de chambre, fait irruption. Il voit Chonchon et Frédérique, immobiles l'un devant l'autre, comprend tout et, avec une force qui n'admet pas de réplique, pousse son père dehors en lui criant :

— Va-t'en, chien sale ! Ne remets jamais les pieds ici, ou tu auras affaire à moi !

21

Depuis une semaine, beaucoup de choses ont changé chez les Tourangeau. Le plan, germé dans la tête d'Étienne, a vite été mis à exécution. D'abord, le jeune homme a rendu visite au curé Lanthier et lui a demandé son aide. Le digne prêtre, avec un mélange de gêne et d'empressement, a consenti à débloquer des fonds de la paroisse. Tout le matériel nécessaire pour réparer et repeindre la maison a été acheté ou emprunté. Couleurs, pinceaux, rouleaux, grattoirs, papier d'émeri, mastic, outils de menuiserie ont été rapidement rassemblés et Étienne a mis son équipe à l'œuvre. Garçons et filles, tous sans exception, jusqu'à la petite Bernadette, se sont vu assigner une tâche. Depuis la nuit où leur aîné a flanqué à la porte leur père infâme, ils lui vouent un respect et une obéissance sans borne. Même Gervais, remis de ses émotions, s'est apparemment soumis à la nouvelle autorité de son frère. Seule la fixité de ses yeux verts dément la sérénité de son mince sourire.

Et puis, une aide extraordinaire leur est venue. Si Étienne remplace avantageusement un père incapable d'assumer ses responsabilités, Lucie, restée sous observation à l'hôpital, a trouvé une digne et ravissante remplaçante en la personne d'Odile. Celle-ci s'est amenée un matin, peu après le début des travaux, et s'est chargée avec beaucoup d'efficacité de la direction des plus jeunes et de la préparation des repas. Tout de suite, sa beauté et sa bonne humeur ont conquis les frères et sœurs d'Étienne. Fernand et Vincent surtout, émerveillés par tant de grâce, se disputent le privilège de se faire bien voir d'elle. Voilà maintenant cinq jours que l'immense chantier bourdonne d'activité, depuis tôt le matin jusqu'à tard le soir, et la maison bleue retrouve peu à peu sa fraîcheur de jadis.

Le terrain n'a pas été oublié. Vincent et Fernand se sont vu confier la tâche de rassembler les détritus au bord du chemin. Un camion de la Ville leur a consacré un voyage spécial. Puis les garçons ont épierré soigneusement le sol et passé la tondeuse, gracieusement prêtée par un voisin. Ils ont pris soin cependant, sur les indications d'Odile, de respecter les plus beaux massifs de fleurs sauvages, en particulier les impatientes du Cap et les épervières, dont les corolles jettent çà et là leurs salves oranges et jaunes.

Après cinq jours de gros travail, la propriété, sous les yeux incrédules du voisinage, a retrouvé son charme spacieux et provincial. Il a fallu mettre les bouchées doubles pour tout terminer avant le retour de Lucie, qui ne se doute de rien et s'étonne seulement de n'avoir pas eu de nouvelles de Chonchon. On lui a marmonné elle ne sait quoi au juste, concernant un abus de boisson qu'il aurait fait et son retour à Montréal ; mais tout se serait bien passé grâce à Étienne, dont ses frères et ses sœurs ne cessent de chanter les louanges. Ah ! l'amour, se dit-elle, voilà ce qui transforme un homme. L'amour ! Son fils, son grand garçon qui aime !

Elle ne connaît pas encore Odile, mais elle se sent complice d'elle. Elle l'imagine à la fois gracieuse, robuste et ayant la saine passion des enfants, tout comme elle — une vraie femme, quoi, dévouée aux choses de la vie et entêtée de tendresse et d'affection.

Affaiblie par son long repos, préoccupée aussi par la connaissance de la maladie qui maintenant l'habite et qu'il faudra tenir en respect, jour après jour, à coups de prudence et de médicaments, Lucie se laisse emmener par Étienne qui a commandé un taxi. Elle trouve à son grand garçon, sous sa gentillesse des beaux jours, un air un peu bizarre, comme s'il lui cachait quelque chose.

Pour les ramener chez eux, le taxi emprunte les rues du quartier qu'habitait le docteur Tourangeau avec sa descendance, et Lucie est frappée au cœur à la vue de leur ancienne maison devenue propriété municipale et transformée en édifice administratif. Jamais donc elle ne pourra revenir dans ce coin si attachant de son passé, synonyme pour elle, malgré les déboires, de tant de bonheur — en particulier pour ses sept maternités toutes réussies, et l'affection d'un beau-père au cœur grand comme le monde !

Le reste du trajet est un peu assombri par ses réflexions sur les changements irréversibles de la destinée.

Toutefois, elle sent grandir de plus en plus sa hâte de retrouver sa marmaille qu'elle a revue seulement une fois, aux heures de visite, dans l'atmosphère fonctionnelle et lugubre de la chambre d'hôpital.

— Maintenant, maman, dit Étienne avec une impatience mal maîtrisée, au moment où le taxi s'engage dans la rue du bord de l'eau, il faut fermer les yeux. Je te dirai quand les rouvrir.

❑

C'est très beau, très beau, vraiment. C'est cela. Ils ont tout refait, la maison, le paysage. Le nid et la branche. Ils se sont mis en équipe, ont travaillé très fort, dirigés par le petit maître et sa dame, ont tout chambardé. C'est propre. Tiens, je les vois — un beau groupe. On dirait les domestiques qui attendent le retour de la seigneuresse Mes Fesses. Ils sont beaux, gras, débarbouillés. Cette jeune fille, jeune femme, c'est Odile. Elle est modeste et triomphante, juste ce qu'il faut. Une beauté, d'ailleurs, dans le genre naturellement distingué, beaucoup de charme. Exactement son genre, à Étienne; il ne pouvait pas résister. Et puis bonne, en plus. Elle a accompli sa bonne action, et Fernand se pâme d'aise à côté. J'essuie une larme. Oui, Étienne, c'est très beau, je suis contente. Je n'en reviens pas, vous en avez trop fait. Il ne fallait pas. Vous m'avez choyée. Je ne suis pas bavarde, j'ai la bouche comme paralysée, mais c'est la surprise. La surprise me tue. J'ai les bras cassés, vous voyez bien. Pour un peu, je m'évanouirais encore, comme l'autre jour, quand le mal m'est monté des fesses à la tête. Aujourd'hui, je vais tout de même résister. L'ambulance, l'hôpital, ça coûte cher. Je vais m'appliquer à convertir en joie ma surprise, à prendre la mesure de ce que je vous dois. Comme vous m'aimez ! Comme vous me rendez heureuse ! On dirait une vraie maison de bourgeois, une pelouse de Blanc, attrayante, avec de petits coins sauvages pour la sauvagesse votre mère, qui affectionne les herbes folles. Les épervières. Vous avez travaillé comme des nègres, à tout rafistoler, repeindre, remettre à neuf. Je suppose que, à l'intérieur, les murs ont retrouvé leur éclat et que plus rien ne traîne — qu'avez-vous fait de tout ? Qu'avez-vous fait du linge, des tas et des tas de linge, et de la vaisselle sale, et des ordures, et de Chonchon ? Venez, venez mes enfants, que je vous embrasse, des larmes plein les yeux, la voix brisée par l'émotion, et toi d'abord, Étienne, beau capitaine, qui me regardes avec la crainte que ton dévouement ne soit pas apprécié à sa pleine valeur, grand imbécile, et voici Odile l'auburn aux jolies mèches sculptant la joue, au museau si beau, si bon, si doux, au corps somptueux et pudique que j'imagine si bien livré au désir, sale appareil pompant la substance de mon grand fils fou à jamais détourné de moi, de son enfance, de son bonheur. Et vous, venez à moi, mes grandes filles et mes mâles pleins des beaux vices de votre âge, et vous aussi, Corinne et Stéphane que je ne distingue pas des autres, qui êtes mes enfants au même titre que les autres et les enfants d'Étienne aussi, puisqu'il est maintenant notre maître, notre seigneur régnant. C'est un grand jour, je vous suis rendue, et je ne pèserai plus sur vos destins puisque vous avez trouvé votre voie, honorable. Nous voici honorables, je n'avais jamais prévu ça. Tout, mais pas ça. Telle est ma faiblesse. Il me faudra apprendre à vivre, à vivre ici. Sans rien salir. J'aurai des rapports nets avec mes enfants, mes voisins, mon fils et sa guenon — pardon ! Je serai heureuse tous les jours et je donnerai le bon exemple. Finis les amants de minuit, veaux, vaches, cochons, curés. Je serai propre dans mon lit, une sainte. Tiens, je pourrais céder ma chambre aux nouveaux maîtres et coucher ailleurs, dans le salon ou la salle de lavage. Quoi, Vincent ? Tu veux savoir comment je trouve cela ? Mais c'est formidable ! Vous êtes tous des amours. Et toi, Marie-Laure, tu veux savoir si je me suis ennuyée ? Oh oui ! ma grande, bien plus que vous ! Vous n'avez pas eu beaucoup de temps pour penser à votre pauvre maman malade, à votre maudite folle de mère traîneuse, de traînée. Ah ! la joie des retrouvailles ! Je pleure à chaudes larmes maintenant, voilà l'émotion. C'est bien elle que vous attendiez ? Elle a mis du temps à venir, mais la voilà. Je me rattrape. J'ouvre la trappe. Le nuage crève. Effusion bénie ! Qu'il fait bon pleurer !

22

Après une nuit dans le douillet confort de son lit de jeune fille, Odile, encore à moitié endormie, pénètre dans la cuisine, un peignoir léger négligemment attaché sur elle. Le soleil est déjà haut. Elle se dirige vers la cafetière automatique et se verse le reste de liquide noir et odoriférant. Elle y ajoute du lait, un peu de sucre et s'assoit à la table. Neuf heures trente ! Des remords de jeune fille sage percent son indolence. Elle qui se lève toujours vers les sept heures, prête à entamer son programme de gammes, d'exercices ou, pendant l'année scolaire, à aller glaner les connaissances qui lui permettront de devenir un jour une femme de carrière compétente et dynamique ! Une femme de carrière... L'expression, aujourd'hui, la rebute, elle ne sait trop pourquoi. Elle entrevoit toute une vie astreinte à des devoirs, des consignes, un affreux impératif de réussite. Quelque chose, en elle, combat maintenant le rêve de ses jours anciens, si conforme aux espoirs que ses parents, son père surtout, forment pour son avenir.

Certes, elle ne rejette pas carrément ce qu'elle a valorisé pendant tant d'années, mais l'amour lui fait entrevoir autre chose et c'est comme si tout un aspect de l'existence, le plus important, lui était d'un coup révélé. Sans doute le pourra-t-elle concilier avec les principes raisonnables qui ont guidé sa vie jusqu'ici. Pourquoi en irait-il autrement ? Beaucoup de gens, ses parents par exemple, ont su accorder les dimensions pratiques d'une carrière et de la famille avec l'assouvissement d'exigences plus profondes, individuelles, intimes... Au fait, se demande Odile, étonnée de ne pas s'être posé plus tôt la question, papa et maman s'aiment-ils d'amour, comme j'aime Étienne et comme Étienne m'aime ? Ont-ils connu une grande passion, cette passion qui incendie le corps et qui change d'un coup la façon de voir, de comprendre toute chose ? Le visage de son père, visage autoritaire et comme miné par un profond désabusement, s'impose à elle. Il n'y a guère, dans ces yeux, la joie qui rend possible une traversée aisée de l'existence. Quand il la regarde parfois, elle sa fille, une sorte d'éclair vient dissiper les brumes de l'amertume, mais c'est qu'il pense alors à la moisson d'honneurs qu'elle lui rapportera, malgré sa nature de femme. Réussir comme un homme, voilà l'objectif que, sans trop en avoir conscience et par pure conformité aux visées familiales, Odile s'est donné depuis toujours. Seule la musique lui a fait une clairière au milieu de ses heures de dur travail et d'ambition.

L'amour, maintenant, vient lui révéler qu'elle est une chair et une âme et que les hommes, Dieu merci, ne sont pas tous taillés sur le modèle de son père. Elle soupçonne tout à coup ce dernier d'être profondément malheureux — sinon, comment expliquer sa propension perpétuelle à maugréer et à condamner la moindre dérogation à son étroite conception de l'ordre et de l'honneur ?

Son père. À vrai dire, non, il ne saurait être malheureux, cet homme froid et sans imagination, uniquement préoccupé par ses triomphes professionnels et le constant souci d'arrondir sa fortune. Avec sa femme il est correct, mais peu affectueux ; et Odile, à de certains signes qu'elle se remémore et auxquels elle n'a jamais accordé vraiment son attention, devine de quels sacrifices sa mère a dû payer sa réputation d'épouse modèle. Des absences inexpliquées du seigneur et maître, des sanglots mal réprimés de sa mère après une nuit d'insomnie manifeste, permettent à la jeune fille de reconstituer une longue chronique d'infidélités conjugales, restée jusqu'ici fantomatique comme ces images de rêve dont la conscience se détourne dès qu'elle aborde au plein jour de la veille. Cette découverte n'en est pas vraiment une ; Odile se rend seulement compte que, jusqu'ici, par respect des bienséances familiales, elle s'interdisait d'y arrêter sa réflexion. Sa mère elle-même eût découragé toute manifestation de sympathie de sa part. Les grandes personnes ont leurs rituels énigmatiques qui ne regardent qu'elles, et la consigne à laquelle obéissait Odile consistait à vivre comme si de rien n'était, en croyant très fort à la bonté de Dieu et à l'intégrité des êtres qu'Il avait placés auprès d'elle. Tous les dimanches, les Louvier assistaient à la messe et donnaient l'exemple d'une famille unie et attachée aux bons principes. Dieu récompensait les mérites de l'homme de loi en lui accordant ses bienfaits matériels, une épouse vertueuse et des enfants qui, marchant sur ses traces, lui faisaient honneur. La réussite, quoi ! On pouvait difficilement l'imaginer plus complète. Cet homme trompait sa femme qui s'appliquait à juguler doucement sa souffrance, à conformer son cœur et son corps à son destin d'épouse de professionnel. Dieu agréait le sacrifice.

Odile n'en revient pas d'avoir vécu si longtemps dans le mensonge, qui ne fait qu'un avec la sécurité matérielle, avec la vaste résidence où entrent le chant des oiseaux, le bruissement des feuillages, le parfum de l'été mûrissant, le cri de quelques enfants qui jouent à leurs jeux sages. Ce quartier est si paisible ! On n'y trouve que d'opulentes propriétés. Le bon goût de tout un peuple culmine ici, dans l'harmonieux mélange des styles victorien et Nouvelle-Angleterre. Ici, on peut souffrir et mourir en silence, dans la dignité. Des femmes comme la mère d'Odile, soignées des orteils aux cheveux, cultivent leurs paisibles détresses dans la prison dorée que leur assigne à vie un mari tyrannique, à qui elles rendent un culte d'autant plus exigeant que ses absences sont fréquentes, requises par d'insondables devoirs. Odile jette un coup d'œil critique sur la cuisine claire, au luxe modéré, sans style particulier, où tout favorise les rapports légers des usagers entre eux et avec les choses. Elle revoit soudain la véranda des Épervières — c'est ainsi qu'elle et Étienne ont baptisé la maison bleue, remise à neuf — dont les fenêtres ouvrent sur la rive ombragée de la rivière, laissant la nature pénétrer par larges effluves. Elle revoit aussitôt le clair sourire des enfants, de la petite Bernadette surtout qui mettait tant de bonne volonté à accomplir des tâches fastidieuses, avec une inlassable patience. Des instincts de ménagère semblaient éclore spontanément dans cette jeune nature, tenue jusque-là à l'écart des travaux domestiques. Ses frères Vincent et Fernand avaient aussi ému Odile par leur dévouement, où elle sentait poindre la concurrence qu'inspire une présence féminine à deux jeunes mâles en éveil. Quelle vitalité, dans cette famille qui lui renvoyait comme des échos turbulents du jeune homme, à la fois calme et puissant, dont elle était chaque jour plus violemment éprise ! À partir d'eux, elle s'était aussi composé, avant de la rencontrer, une image de Lucie, la mère, en qui elle supposait beaucoup de droiture et, sous des côtés brouillons, un solide bon sens appliqué à l'affirmation des puissances de la vie. Quand elle a été enfin en présence de cette grande femme, pâlie et amaigrie par son séjour à l'hôpital, elle n'a certes pas été déçue, mais elle a cru sentir, à travers les effusions de l'arrivée, une secrète réticence, voire une réprobation, au contraire de la complicité qu'elle avait imaginée. Le grand œil brun et bon de Lucie, qui s'imprégnait si naturellement de cordialité, dissimulait mal une note de froideur. Odile en a été frappée, sans doute parce qu'elle s'attendait à une pleine réciprocité de confiance et d'affection avec la mère de son héros.

Odile en est là de ses réflexions quand madame Louvier, tirée à quatre épingles comme s'il était cinq heures du soir, investit soudain la cuisine de son dynamisme de bon ton. Du lever au coucher, cette femme s'affaire à un nombre infini de tâches minuscules, qui ne requièrent d'autre effort qu'une judicieuse intervention, une touche donnée à propos à telle disposition d'objets ou tel équilibre des rapports entre ses proches. À la vue d'Odile, encore en vêtements de nuit, elle feint l'étonnement.

— Tiens ! Voilà une jeune fille qui a cédé au démon de la paresse !

Odile sourit, s'étire un peu et confesse :

— Oui, de temps en temps ça fait vraiment du bien de *ne rien faire* !

— Comment ! Toi, ma fille, tu tiens ces propos affreusement normaux ?

— Normaux, oui, et tout de même scandaleux, n'est-ce pas ? Toi, maman, tu es comme une abeille du matin au soir, tu ne perds pas une minute de ton temps. As-tu déjà connu ce que c'est de flâner, de bayer aux corneilles ?

— En vérité, non. Je trouve infiniment plus intéressant d'accomplir mes petits devoirs que d'être en proie à je ne sais quelle creuse songerie, qui de toute façon ne mènerait à rien. Mais toi, qui tiens beaucoup de moi sur ce point, que fais-tu de ton piano ? Depuis ta dernière leçon, ton ardeur me semble avoir dangereusement baissé.

— C'est possible, maman… Et puis, ma foi, je puis bien te confier ce que tu devines déjà, n'est-ce pas ?

— Quoi ? Tu es amoureuse ? plaisante-t-elle.

Au lieu de répondre, Odile lui adresse un grand sourire et sa mère, prise de court, ne sait trop comment réagir.

— C'est vrai ? Tu…

— Oui, maman. J'ai rencontré quelqu'un…

Elle voudrait dire la merveille, évoquer, décrire ce grand garçon aux yeux sombres, aux cheveux de nuit, aux traits francs comme l'éclair, et cependant plus doux que la tête dodue des mésanges. Mais ce sont là des choses qu'on garde pour soi et qui font l'égoïsme obligé des premières amours.

— Chère Odile ! Veux-tu dire que tu es sérieusement amoureuse ?

— Oui, maman. Il s'appelle Étienne.

— Étienne ? C'est un joli nom.

Madame Louvier s'assied, très surprise de la nouvelle et encore plus étonnée de la confidence car les sujets intimes, entre sa fille et elle, sont rarement abordés. Elle a peur, soudain, d'être prise au dépourvu et d'apprendre ce qu'elle ne voudrait pas savoir.

— Est-ce que, ton père et moi, nous connaissons ses parents ?

— Non, sûrement pas. Les Tourangeau habitent Deux-Montagnes.

— Alors c'est chez lui que tu es allée passer tes journées, la semaine dernière ? Tu m'as dit que tu participais à je ne sais quelle corvée chez des amis.

— C'était chez lui. Il vit avec sa mère et... ses jeunes frères et sœurs, et ils ont décidé de repeindre la maison au complet. C'est une grande maison au bord de l'eau.

— Avec sa mère, dis-tu ? Son père est décédé ?

— Non... Ses parents sont séparés.

— Ah !

— Son père est un artisan connu — tu sais : Chonchon, celui qui fabrique des jouets en peluche.

— Ça me dit quelque chose.

— Vous m'en avez donné un autrefois. C'est cette espèce de bonne femme avec plusieurs nez, des tentacules...

— Oui, oui, je me souviens. On appelait ça des « chimères ». Tout le monde voulait en avoir.

— J'ai visité son atelier, avec Étienne. C'est formidable !

— Eh bien ! Il ne faudra peut-être pas en parler à ton père. Je ne suis pas sûre que ça lui plaise beaucoup que tu fréquentes dans un milieu « artiste ». Déjà, il comprend mal toutes les heures que tu passes au piano !

— C'est un milieu tout à fait respectable. Et, tu sais, Étienne, il est non seulement très beau, et intelligent, mais il est aussi généreux, sensible, dévoué. Parmi mes connaissances, je ne vois personne d'aussi bon, oui, bon. Je ne pensais pas qu'un jour je rencontrerais quelqu'un d'aimable à ce point.

Berthe Louvier, qui ne sait quelle contenance adopter devant une nouvelle dont les franges d'inconnu l'inquiètent, prend le parti de sourire avec bienveillance, tout en formulant prudemment ses réserves.

— Je vois que l'hameçon est bien accroché, si je puis me permettre. Je souhaite, Odile, que tu ne te fasses pas trop d'illusions. Tu sais, on paie parfois très cher ce genre d'emballement.

— Allons, maman ! Si tu savais comme je suis heureuse ! C'est la première fois ! Et il n'y en aura jamais d'autre, j'en suis sûre !

Madame Louvier part d'un bon rire, désarmée par tant de simplicité.

— Ma chère Odile ! Tu es complètement amoureuse, je le vois bien. Je te souhaite de tout mon cœur de connaître ce grand bonheur que tu mérites. Seulement, tu sais, on n'y arrive pas toujours du premier coup. C'est même plutôt rare, et les vraies amours, celles qui durent, ne commencent pas forcément par un coup de foudre. Ton père et moi...

— Oui, comment était-ce, papa et toi ? Tu ne m'as jamais vraiment raconté.

— Eh bien... c'est venu tout doucement, tu sais. Je... j'aimais quelqu'un, un jeune homme assez pauvre que tes grands-parents craignaient beaucoup de me voir épouser. Bien entendu, je ne comprenais pas leurs objections. Pendant plusieurs mois, j'ai vécu très malheureuse, partagée entre cet amour de... d'adolescente et le souci de respecter l'avis de mes parents. Et puis, un jour, ton père qui venait à la même église que moi s'est mis à me faire la cour et... peu à peu...

— Quoi ? Tu as sacrifié ton grand amour à un besoin de sécurité ? Tu as épousé l'homme que tu n'aimais pas pour complaire à tes parents ?

— Mais non ! Tu comprends tout de travers. J'aimais ton père, voyons !... Je veux dire simplement que, quand on se marie, c'est pour longtemps et qu'il faut avoir la sagesse de mettre toutes les chances de bonheur de son côté. Il en faut, de l'argent, pour élever une famille, donner une bonne éducation à ses enfants, et le reste !

Odile ne répond pas à ces propos raisonnables, où la déçoit le souci de tout ramener à des proportions quotidiennes et d'éteindre sans pitié les incendies de la passion. Peut-être n'aurait-elle pas dû se confier ainsi. Pourtant il fallait bien, tôt ou tard, mettre ses parents au courant. Sa mère se chargera de compléter la diffusion de la nouvelle.

— Est-ce que nous aurons le privilège de faire la connaissance de ce merveilleux jeune homme ? demande madame Louvier avec un enjouement appliqué. Tu pourrais l'inviter ici, un jour de cette semaine.

Ravie de la soudaine ouverture, malgré les risques qu'elle pressent vaguement, Odile bondit de joie et embrasse sa mère en la comblant de mots doux.

23

En passant devant l'église, Étienne éprouve le besoin d'y faire une petite halte et de remercier le grand saint bon Dieu pour tous les bienfaits dont Il l'a comblé depuis la grande rencontre. Jamais, depuis des années, sauf en de très rares et spéciales occasions, le jeune homme n'a pénétré dans ce lieu fréquenté seulement des écoliers et des personnes âgées. De ses dévotions enfantines, il garde le souvenir d'un long ennui. Mais aujourd'hui, il aimerait se mettre à genoux, poser son regard sur le maître-autel où s'étagent les dorures, imaginer un Dieu de chair et d'os ou de laiton terni, un Dieu qu'il remercierait simplement, comme on remercie un homme. C'est au curé, du reste, qu'il devrait témoigner sa reconnaissance, lui qui a été si généreux pour la famille Tourangeau. Mais Étienne ressent un peu de gêne à son égard depuis que Fernand, dans un éclat de rire, lui a raconté des choses pas catholiques à propos de la visite de l'ecclésiastique à Lucie, il y a quelque temps.

Révélation assez tardive puisque, distrait par les événements et surtout par l'arrivée de son père, Fernand avait complètement oublié de divulguer à ses frères et sœurs les résultats de son espionnage. Il avait en effet risqué un coup d'œil à la fenêtre de Lucie et entrevu d'étranges ébats. Étienne s'explique maintenant la libéralité un peu embarrassée du curé, et il se demande s'il ne ferait pas mieux de le laisser cuver en paix sa turpitude. Il comprend, du reste, la tranquillité d'esprit que sa mère affichait après cela à l'égard de leur sévère bienfaiteur. Elle le tenait bien celui-là, a-t-elle dit. Ce genre de tactique est de bonne guerre quand on n'a d'autre atout, dans l'existence, que son corps : seule propriété de l'impécunieux. La pauvreté, qui n'a pas le choix, ne chipote pas sur la qualité des expédients.

La poignée de métal doré de la porte ne bouge pas, complice de l'inertie des murs, de la lourde façade de pierre qui surplombe Étienne avec ses silencieuses allégories de verre et de bronze. L'église est rarement ouverte en semaine — Étienne aurait pu y penser. En dehors des rares offices, Dieu n'y est pour personne.

Il va repartir, empêtré de sa reconnaissance inutile, quand s'impose à lui avec une nouvelle vigueur le devoir de dire quelques mots à monsieur le curé. Son cœur déborde de gratitude depuis qu'il est amoureux et que l'avenir a pris un sens pour lui. Le prêtre pourra d'ailleurs le conseiller sur l'orientation à donner à ses études. Par-delà l'homme de chair, dont Étienne est bien placé pour comprendre les faiblesses depuis qu'il a goûté aux joies extraordinaires du commerce amoureux, il y a le représentant de Dieu sur terre, et Étienne veut croire à Dieu, comme à Celui qui rend possible le merveilleux hasard des rencontres.

Il gravit lestement le perron du presbytère et actionne la sonnette dont le timbre, étouffé, lui parvient. Un peu nerveux, il attend devant la porte vitrée où des dentelles font un dérisoire écran. Le bois verni a la couleur de la tire-éponge et il y confine son regard, de crainte d'être indiscret. Une ombre, coiffée de blanc, se matérialise bientôt derrière la vitre. La servante lui ouvre.

— Pardon, madame… mademoiselle… est-ce que je pourrais voir monsieur le curé ?

— Revenez aux heures de bureau. Monsieur le curé est occupé.

— Excusez-moi… Quelles sont les heures de bureau ?

— Vous ne savez pas lire ? Elles sont écrites ici, en noir sur blanc.

Il découvre une affichette qu'il avait eue sous les yeux sans y prêter attention.

— Je suis vraiment distrait. Pardon de vous avoir dérangée.

Il se retourne, mais sa politesse et son air avenant ont fait bonne impression sur la servante, qui le rappelle.

— Vous êtes un petit Tourangeau, vous ? Vous êtes venu, il n'y a pas longtemps, rencontrer monsieur le curé.

— Oui. C'était sûrement pendant les heures de bureau. Je ne savais pas qu'il était impossible de le voir en d'autres moments.

— Oubliez ça, c'est un détail. Et alors ? Vous avez fait une belle surprise à votre maman ?

Étienne, étonné, scrute l'ingrat visage qui ouvre sur lui des yeux gris-vert, d'une intensité remarquable, où se lit une parfaite innocence.

— Ah ! vous êtes au courant...

— Oui. Monsieur le curé m'a dit ça, que vous vouliez tout remettre à neuf.

— Eh bien... oui. Nous avons travaillé très fort, et je voulais justement en rendre compte à monsieur le curé, et le remercier.

— Entrez donc ! Je vais le chercher.

— Ne le dérangez pas, je passerai une autre fois.

— Mais non. Il sera tellement heureux, le pauvre homme ! C'est rare, vous savez, que ceux à qui il vient en aide pensent à lui manifester de la reconnaissance. Attendez là, ce ne sera pas long.

Étienne se laisse installer dans un petit parloir et la commère disparaît prestement.

La pièce, sobrement meublée, comporte pour toute décoration une litho représentant le Christ. Les doigts féminins du divin Sauveur pointent mollement vers son cœur enflammé. Plus loin, une large fenêtre laisse entrer le jour. Elle donne sur la petite rivière qui coupe la municipalité en deux. D'antiques frênes en ombragent les bords. Étienne se laisse absorber par le spectacle d'une nature aimable et presque grandiose, que la modestie de quelques vieux cottages n'arrivent pas à gâter. Puis il se revoit, dix jours plus tôt, dans la pièce voisine qui sert de bureau. Il était alors tellement intimidé et désireux de mener à bien son projet qu'il n'avait prêté aucune attention aux lieux. Seule la figure du curé l'avait frappé. Le vieil homme lui avait semblé bizarre. Il faisait effort, aurait-on dit, pour paraître digne, avait des absences et rougissait à tout propos. La dignité, en effet, ne devait pas lui être facile. Comment sera-t-il aujourd'hui ? Étienne, surtout, ne doit pas laisser transparaître ce qu'il sait.

Un bruit de pas assez énergique met fin à l'attente. L'ecclésiastique, vêtu de couleurs sombres, apparaît à la porte et tend la main à son jeune visiteur.

— Tiens, c'est toi. Marthe, ma servante, n'a pas voulu me dire qui me demandait. Elle est un peu excentrique et adore me faire des surprises !

— Je suis confus de vous déranger. Je ne connaissais pas les heures de bureau.

— Tu ne me déranges pas. Et alors ? Que puis-je faire pour toi ?

— Eh bien ! rien, monsieur le curé. Je suis seulement venu pour vous remercier. Grâce à vous, la maison est rafistolée de fond en comble, on dirait une neuve ! Et le terrain est tout nettoyé.

— Ah bon ! Ah bon ! C'est une excellente nouvelle, mon Étienne. J'irai voir ça, un de ces jours. Enfin... si mes occupations me laissent un peu de répit. Et... ta maman, elle est revenue chez elle ?

— Oui, elle a obtenu son congé de l'hôpital il y a quelques jours.

— Elle a dû avoir une grosse surprise !

— Oui...

Étienne paraît soudain préoccupé. Il hésite, puis se décide à découvrir le fond de sa pensée.

— Oui, mais je ne suis pas sûr que la surprise ait été si agréable. Je m'attendais à plus d'enthousiasme.

— Bah ! la maladie a peut-être amorti un peu ses capacités de réaction. Sur le coup, un aussi gros changement peut l'avoir... comment dire... déconcertée.

— Peut-être. Je crains qu'il n'y ait autre chose, je ne sais quoi. Mais mes frères et sœurs, eux, sont très fiers de ce qu'ils ont accompli. Ils ont tous mis la main à la pâte. Maintenant, dès que quelqu'un fait de la saleté ou du désordre, il a les autres sur le dos. J'ai hâte de voir si cela va durer, mais, pour l'instant, notre maison est l'une des plus belles du bord de l'eau !

— Et quel emplacement magnifique ! renchérit le curé. Le point de vue sur la rivière est superbe.

— C'est vraiment merveilleux, monsieur le curé, cette propriété que vous nous avez fait obtenir. Maintenant, je suis assez grand pour réaliser la dette de reconnaissance que nous avons envers vous, et je vous promets que les Tourangeau, à l'avenir, seront dignes de votre confiance.

Étienne tend la main au prêtre, qui la prend avec émotion et bredouille :

— Bien... Tu es un bon jeune homme, Étienne... Tu sais, il y en a qui disent des choses... sur vous autres, les Tourangeau. Ta maman... Elle a ses allures bien à elle, sans doute. Mais c'est un grand cœur, un très grand cœur, tu le sais comme moi. Et ton père, aussi... Un véritable artiste ! Je l'ai bien connu, Chonchon, quand il était enfant de chœur — moi, j'étais jeune vicaire — et je l'ai toujours trouvé épatant, malgré... Bien, il avait ses petits défauts. Mais il cherchait, il cherchait toujours ce que les autres ne cherchent pas. Une sorte de rêve... Oui, c'est cela : la chimère. La chimère !

— Il la cherche toujours, dit Étienne avec un sourire.

— C'est vrai, ce qu'on m'a dit, que vous vous êtes disputés, lui et toi ?

Le front rembruni, Étienne répond sobrement :

— Il y a, monsieur le curé, des agissements qu'on ne peut tolérer dans une maison où on respecte encore certains principes. Je ne peux pas vous en dire plus.

— Bon... Oui, je suppose que tu as raison. C'est bien dommage, que la vie d'aujourd'hui rende les choses si difficiles pour tant de monde. Toutes ces familles divisées, ces couples séparés, et même divorcés ! Et la religion, abandonnée de presque tous ! Il me semble que, autrefois, il y avait plus de bonheur pour tout le monde, tu ne crois pas ?

— Je n'en sais rien, monsieur le curé. J'ai toujours connu un certain désordre chez nous, même si, comme vous le disiez tout à l'heure, maman a un cœur d'or et nous a appris à aimer; à nous aimer nous-mêmes d'abord, et à nous aimer entre nous. Mais maintenant, monsieur le curé, je suis grand, je veux que ma vie soit belle et droite, et je veux que ma famille s'en tire elle aussi, comme moi. C'est pourquoi j'ai entrepris ces travaux pour lesquels vous nous avez aidés si généreusement, et ce n'est pas par de belles paroles que je veux vous remercier, mais en assumant mes responsabilités d'aîné et, si je puis dire, de chef de famille.

Ces mots graves viennent aisément à la bouche d'Étienne qui, depuis qu'il est amoureux, découvre chaque jour plus profondément en lui les ressources d'un adulte.

— Étienne, je te souhaite de tout mon cœur de réussir ce que tu entreprends. Tu es un homme, un vrai, et je vais prier Dieu pour qu'Il te vienne en aide. Les jeunes gens courageux comme toi sont rares. Mais, dis-moi, comment entrevois-tu ton avenir, concrètement ?

— D'abord, monsieur le curé, je compte retourner aux études, dès septembre, et terminer mon cégep. De cette façon, l'an prochain, je pourrai m'inscrire à l'université. Il faudra cependant que je me trouve du travail. Cela m'inquiète un peu car les bons emplois, qui laissent du temps pour les études, ne sont guère faciles à trouver. Mais je suis déterminé à travailler très fort. Il faut que j'arrive à mes fins ; mon bonheur en dépend…

Dans ses yeux passe une lueur où le curé décèle autre chose que l'ambition d'un jeune pauvre résolu à sortir de la misère — peut-être cette intime certitude qu'un sentiment très puissant allume parfois dans les cœurs aimables, et qui les rend capables d'affronter le troublant défi du monde.

24

Avant de rentrer chez lui, Étienne s'arrête un moment devant la grande maison qu'illumine pour lui le clair nom des Épervières, trouvé par Odile. Le terrain, après les pluies récentes, a reverdi de façon égale et les massifs de fleurs sauvages brandissent, par-ci, par-là, leurs brassées de lumière. La propriété n'a plus rien à envier à ses voisines, d'un aspect souvent tapageur et prétentieux, et moins bien accordées au placide décor d'eau et de feuillage. Par-delà le terrain, le grand dos de la rivière portant le ciel encombré de nuages est soumis à sa lente giration unanime. Sous la pelure des clartés, Étienne ne peut s'empêcher de penser au gouffre dont Lucie, qui a consulté une carte d'état-major, leur a parlé si souvent, évoquant de surcroît le témoignage de voisins qui énuméraient avec complaisance les objets de rebut confiés par les riverains aux ténèbres des fonds. Puis sa pensée remonte vers les rapides, invisibles d'ici, et les îles près du pont des trains. C'est là, au pied des grands arbres, parmi le chuchotement tiède de l'eau et les arbustes essuyés de vent, qu'il a tenu dans ses mains et sous son corps la claire beauté du monde, et qu'il a fait à jamais effraction dans le nid des tendresses. C'est là que sa vie a pris racine d'un seul coup, fixant la charge d'émotion qui s'était accumulée en son cœur depuis le premier coup d'œil échangé, depuis leurs mots innocents et très doux prononcés côte à côte sur la banquette du petit train de banlieue. Du gouffre à l'île, de l'île à la voie ferrée, Étienne va vers l'amont, là où sa vie d'homme commence et où, en un instant, il est devenu fort contre sa mort. Contre sa mère aussi, la grande femme bonne et folle ; qui ne le sait pas, ne le veut pas, mais qui, par sa bonté et sa folie, ensorcelle ses fils et ses filles et les tient prisonniers d'un cercle quasi infranchissable. Au-delà de ce cercle, il y a la princesse toute gracieuse, inattendue, au visage sculpté dans la flamme des baisers et c'est elle qu'Étienne porte maintenant et à jamais en son cœur, comme un astre perpétuel d'où lui vient toute la lumière.

En franchissant la porte, Étienne est arrêté par le spectacle d'un monticule de linge entre les fauteuils. La grande pièce, où Fernand et Vincent s'affairent bruyamment à démonter la télévision, est dans un désordre considérable.

— Que se passe-t-il ici ? s'exclame-t-il, secoué par la surprise et la colère.

— La maudite télé ne fonctionne plus depuis des mois, tu le sais, répond Vincent. Comme on ne semble pas pressé de la faire réparer, je vais tout de même essayer de voir ce qui ne va pas.

— Mais qu'est-ce que tu connais à ça ? Il paraît que c'est dangereux, ces appareils-là, ça peut exploser si on joue dedans. Tout ce que tu vas faire, je te connais, c'est la démonter et tout laisser traîner.

— Et puis ? dit Fernand, agressif. Ce n'est pas grave, ça. Qu'est-ce que ça peut faire, si des choses traînent ? Nous prends-tu pour des femmes de ménage ?

Il rit, d'un rire idiot et blessant.

— Et ce linge, d'où vient-il ?

— C'est madame Pomerleau, la patronnesse, qui l'a apporté tout à l'heure.

— J'avais pourtant demandé qu'on cesse de nous encombrer de ces guenilles-là.

— Elle a téléphoné avant de venir, explique Vincent. Elle a parlé avec maman.

Très contrarié, Étienne fonce vers la cuisine, poursuivi par les rires mal contenus de ses deux frères.

— Maman ?

Près de la table, Marie-Laure peigne ses longs cheveux roux qu'elle vient de laver. Elle est vêtue d'un peignoir vert pâle qui, à chaque mouvement de ses bras levés, découvre ses petits seins pointus, piqués de quelques éphélides. Étienne détourne les yeux, gêné, et demande :

— Où est maman ?

— Dans sa chambre. Elle était fatiguée et elle s'est recouchée.

— À onze heures du matin ! À ton avis, Marie-Laure, est-elle si malade que ça ?

— Malade ? Je ne sais pas. Elle est fatiguée, en tout cas, dit-elle en baissant la voix pour ne pas être entendue de la chambre. J'ai l'impression que, depuis son retour, quelque chose la tracasse, comme si elle avait perdu le goût de nous autres ! On dirait que sa petite vie de famille ne l'intéresse plus. Peut-être est-elle déprimée. Après une grosse maladie, c'est chose courante. Stéphane et Corinne, qu'elle a tellement chouchoutés pour essayer de leur faire oublier ce qu'ils ont vécu, c'est tout juste si elle leur parle maintenant. Il n'y a que Fernand qui arrive à la faire sourire, avec ses idées bizarres. Lui, je le trouve vraiment dangereux, tu sais. S'il n'arrive pas à se contrôler mieux que ça, je me demande ce qu'il va devenir !

— Pourtant, ces deux dernières semaines, il s'est bien tenu.

— Ne te fais pas d'illusion. J'ai l'impression qu'il nous prépare une de ces crises !

— Bon Dieu ! Tout va-t-il recommencer comme avant ? En rentrant tout à l'heure, j'ai vu que les habitudes de désordre reviennent. La grande pièce est sens dessus dessous.

— Bah ! On ne change pas le train-train familial en criant lapin. Puis... c'est peut-être mieux comme ça.

— Qu'est-ce que tu dis ? !

Marie-Laure pose sur lui son beau regard limpide et désabusé. Dans son vêtement d'où sa tête émerge comme une fine porcelaine, elle ressemble à l'ange des raisons amères — ces raisons qui permettent de tenir le coup, au milieu des espoirs catastrophiques.

— Il y a des améliorations qu'il faut payer trop cher. Souvent, la médiocrité est préférable à certains luxes, si séduisants soient-ils.

— Que veux-tu dire ?

— Cela, rien de plus. Quand on est né dans la crotte...

— Bon sang ! La crotte, il faut aimer ça pour rester dedans.

— Étienne !

La voix arrive, affaiblie, de la chambre fermée. Étienne entrouvre la porte et demande, à voix basse :

— Maman, tu m'as appelé ?

— Viens ici, mon grand, j'ai à te parler. Referme derrière toi. C'est à mon grand garçon tout seul que je veux parler.

— Tu n'es pas trop fatiguée ? Comment vas-tu, aujourd'hui ?

Devant cette forme allongée et un peu cassée, dont la maigreur le chagrine, il se souvient du transport à l'hôpital où tout à coup, pour la première fois, dans l'ambulance, sa mère a cessé d'être la géante bienfaisante, le pilier auquel toute la famille s'accrochait pour résister aux dévastations. Momifiée sous les couvertures de la civière, elle était redevenue l'enfant qu'elle n'avait au fond cessé d'être, une trop grande enfant encombrée de sa carcasse et de ses devoirs. Maintenant, dans son lit qui dégage un relent de sommeils trop prolongés, sa tête et le haut de sa poitrine émergent du drap froissé comme une terne apparition.

— Viens t'asseoir ici, au bord du lit, comme tu le faisais il n'y a pas si longtemps, tu te souviens ? Nous avions de longues conversations ; tu me racontais tout ce qui te tracassait, surtout après le départ de ton père.

— Et tu me chatouillais, et je n'aimais pas ça, gronde-t-il en souriant.

— Je te chatouillais ? Allons donc ! Une maman ne fait pas cela !

— Je... je disais que je n'aimais pas ça, mais ça guérissait tous mes bobos, mes... plaies en dedans de moi.

— Que veux-tu, mon beau, j'étais folle ! J'ai toujours aimé jouer. Quand j'étais petite, il n'y avait personne pour jouer avec moi, personne. Mon vieux père, seulement ; mais lui...

— Je sais.

— Non, tu ne sais pas. Mais peu importe. C'est toi qui importes, toi et vous tous. Le passé n'a pas d'importance. Parle-moi de toi. Et parle-moi... d'elle.

Tandis qu'elle prononce ces derniers mots, son visage pâlit encore davantage et ses lèvres apparaissent à Étienne comme découpées dans son visage, et asséchées par la fièvre.

— Odile...

Il se recueille. Il cherche les mots qui conviennent, qui n'effraieront pas la bonne volonté de Lucie. Car il devine avec quel mal elle accueille cette femme entrée dans sa vie à lui, et il n'en comprend pas la raison. Odile n'est-elle pas bonne comme elle, et belle, et capable d'un amour sans réserve ?

— Il me semble que, depuis que je la connais, plus rien n'est pareil. C'est comme quelque chose à l'intérieur de moi qui m'étreint, il me semble que je vais à tout moment me mettre à rire ou à pleurer. C'est une grande peine parce que j'ai l'impression que ce n'est pas possible, que tant de bonheur va disparaître et me laisser tout seul, comme… comme un enfant qui a perdu sa mère. Et en même temps, je n'en reviens pas d'être celui qu'elle a choisi, celui qu'elle aime. Je l'ai tenue, maman, je l'ai tenue dans mes deux mains, et mes bras, et elle était à moi, elle est à moi, maman, elle se donne à moi de tout son cœur et de tout son corps, et je suis enfin moi, moi-même, je suis un homme, comprends-tu ? Je comprends enfin ce que je suis, ce que j'ai, et pourquoi j'ai un sexe. J'ai un sexe pour elle, maman, par elle, et par mon sexe nous sommes un, un seul, nous sommes une grande fleur qui palpite par le milieu, et qui rayonne partout sa joie, sa tendresse, sa violence aussi. Nous sommes violents d'amour, maman, nous en mourons, et nous en renaissons !

Elle le regarde, éblouie, et deux larmes glissent le long de son nez, jusqu'à la bouche qu'elles contournent.

— C'est beau ce que tu dis, Étienne. Tu es beau, mon grand, et je comprends que les filles s'éprennent de toi. Tu te souviens du jour où tu l'as rencontrée ? Le matin, avant que tu partes, je t'ai parlé des filles et tu m'as dit, grand fou, qu'elles ne s'intéressaient pas à toi et que tu ferais mieux d'être fifi. Fifi !

Ils rient ensemble. Puis Étienne explique :

— C'était avant de connaître Odile. Elle n'est pas comme les autres. Elle ne demande pas à un garçon de l'emmener au cinéma, au restaurant, de l'éblouir avec une belle voiture et des promesses de vie facile.

— Oui, je sais.

Cette réponse laconique déplaît à Étienne qui perçoit de nouveau l'étendue de la résistance que Lucie oppose sourdement à son bonheur. D'une voix où perce l'impatience, il l'interroge :

— J'ai l'impression, maman, que tu lui reproches quelque chose, à Odile, et j'aimerais bien savoir quoi !

Elle se tait longuement et semble chercher devant elle, comme si elle voulait tenir ensemble les fils d'une trame infiniment délicate, dont la réunion intégrale pourrait seule faire sens. Puis elle se met à parler, doucement d'abord, puis d'une voix de plus en plus pressante et désolée, comme impuissante à endiguer les épouvantements du destin.

— Oui, elle est très bien, Odile, mon cher Étienne. On dirait une princesse... pas une princesse indienne, de fond de forêt, mais une princesse comme dans les contes d'autrefois, belle, douce, et bienveillante aussi, et capable d'affronter la vie, malgré toute sa cour autour d'elle qui tient les malheurs à distance. Oui, je suis heureuse pour toi, je suis très heureuse, mais... Comment te dire ? Comment, surtout, te faire comprendre ? Elle a des parents, ton Odile, elle a une maison, un milieu... Tout cela est si différent de ce que tu connais ! Quand je suis revenue de l'hôpital et que j'ai vu la maison toute repeinte, en ordre, propre comme elle ne l'avait jamais été, tout de suite j'ai compris... J'ai compris que jamais elle ne pourrait vivre comme nous, et que tu voulais nous refaire, nous rééduquer, nous, pour nous rendre dignes d'elle, et le pire, Étienne, c'est que tu as raison ! Je suis une cochonne, une maudite folle, je le sais, on me l'a assez fait sentir, on me l'a même crié par la tête ! Le gros Garon est venu ici pour m'insulter, pour me menacer, et les autres, le maire, les échevins, les notables de la ville sont du même avis que lui. Ces gens-là n'ont aucune pitié pour ceux qui ne se conforment pas à leur façon de vivre, surtout quand ils ont du sang indien dans les veines. Moi je suis à moitié Mohawk, et j'en suis fière, et à leurs yeux je suis quelque chose comme une sorcière, même si je suis pro-vie et que je milite contre l'avortement. Eux, la vie, ce n'est pas ça qui les empêche de dormir. Mais une famille nombreuse, qui a du mal à arriver et qui ne vit pas dans le grand luxe, ça les dérange parce qu'ils voudraient que tous soient pareils à eux. Et ton Odile, mon grand, même si elle est gentille et intelligente et généreuse, elle est tout de même de ce monde-là, elle a grandi dans le confort, la distinction, au milieu des belles choses, elle a appris le piano, elle a fait des études brillantes et, à la rentrée, elle va commencer ses études de droit. C'est bien, c'est magnifique, mais penses-tu qu'elle pourra se satisfaire de ce que, toi, tu peux lui apporter ? Et même si votre amour surmontait cet obstacle, effaçait l'inégalité des conditions entre vous, penses-tu que ses parents vont la laisser partir avec un petit Tourangeau ? Elle a beau être majeure, elle n'est peut-être pas prête à rompre avec tout son passé pour vivre avec l'homme qu'elle aime. Y as-tu pensé, à cela ?

— Mais, maman, je suis décidé à tout tenter pour réussir dans la vie. Je vais terminer mon cégep, faire moi aussi des études universitaires…

— Ah oui ? Et combien de temps tout cela va-t-il prendre, avant que tu aies ton diplôme ? Et penses-tu, une fois le diplôme en poche, pouvoir décrocher facilement un emploi ? Qu'est-ce que tu veux devenir tout d'un coup, toi qui m'as supplié l'an dernier pour lâcher l'école ? Médecin ? Avocat ?

— Euh... j'ai pensé que... océanographe...

La surprise secoue Lucie et lui fait ouvrir de grands yeux.

— Quoi ? Qu'est-ce que tu me racontes là ? Océanographe, tu dis ? Qu'est-ce que ça mange en hiver, cette affaire-là ?

Elle rit franchement pendant que, humilié, il tente de lui expliquer.

— J'ai vu une émission de télé sur le sujet... Je me suis dit que c'était ça que je voulais être, si je faisais des études. L'océanographe fait des recherches sur les courants marins, les marées, la dynamique des eaux.

— Eh bien ! si tu réussis, et que Chonchon apprend cela, il va en crever de fierté. Un fils océanographe ! Sainte épitaphe ! Je suppose qu'il faut des années et des années pour y arriver. Pendant ce temps-là, comment allez-vous vous arranger, Odile et toi ? Voulez-vous habiter ensemble ? Avec la récession, tu sais, ce n'est pas très facile. On ne vit pas de l'air du temps. Et puis, êtes-vous sûrs de pouvoir étudier dans la même ville ? Des études spécialisées comme celles que tu envisages, peux-tu les faire à Montréal ?

— Je ne sais pas, maman, nous verrons. Chaque chose en son temps. Il faut d'abord que je termine mon cégep et, pour cela, que je me trouve un emploi — à temps partiel, bien entendu.

— Voilà : ça recommence. Quelle tête dure tu as ! Ne t'ai-je pas cent fois expliqué que tu risquais de me faire perdre mes revenus, si tu avais un salaire déclaré ?

Cette fois, Étienne, qui en a parlé avec Odile, plus renseignée que lui sur la question, s'insurge tout net. Il menace de téléphoner séance tenante au ministère des Affaires sociales pour vérifier les dispositions de la loi. Lucie bat aussitôt en retraite et il comprend soudain à quel point elle l'a fait marcher si longtemps, par de fous mensonges, pour le retenir auprès d'elle. Quel siphon, quel remous cette grande enfant, incapable d'envisager la solitude des mères faites, avare des vies qu'elle a lâchées dans le monde, au point de ne pouvoir couper le cordon ombilical ! Étienne la contemple, maigre et pourtant immense sous le drap, il regarde son teint de terre, ses cheveux défraîchis, son visage encore beau, mais gagné par l'ombre des déclins. Il l'injurierait, il la battrait si son déraisonnable amour de mère ne la rendait si pathétique, pilée dans l'air noir de ses mensonges et de sa folie.

25

— Vous vous êtes connus dans le train ?

Madame Louvier pose la question d'une voix égale, aussi impénétrable que son visage. Étienne est assis très droit dans un fauteuil et Odile, sur le divan, balance nerveusement la jambe. En fille respectueuse et responsable, elle se devait de présenter son amoureux à ses parents, mais elle craint très fort, maintenant, de se heurter à un mur insurmontable de préjugés. Son père surtout, avec ses allures cassantes, risque de faire monter la tension. Heureusement, il n'est pas encore rentré de son travail.

— Oui, répond Étienne avec une certaine assurance. Le train était bondé et il y avait une place à mes côtés. Le hasard a voulu que…

— C'est cela, confirme Odile. Le hasard, ce jour-là, a très bien fait les choses !

Petite ride sur l'eau de la conversation, rire léger. La lumière du salon, ambre et bleue, baigne délicatement les meubles de style disparate, qui affichent une coûteuse élégance. L'épais tapis, aux tons laiteux, est d'origine orientale. De son pied, Étienne couvre en partie une fleur bleue et rose assez semblable à une gueule de dragon et il modifie sa position, comme s'il écrasait une fleur véritable. Tout vit, ici, mais en silence, et tout est piège. Il a l'impression de passer un examen. Odile l'a prévenu de ce qui l'attendait ; elle l'a tout de même prié de se prêter de bonne grâce au rituel. « Peu importe le jugement qu'ils poseront, a-t-elle dit, je suis majeure et ils ne peuvent pas m'empêcher de conduire ma vie comme je l'entends. Fais-le par amour pour moi. » Et par amour, de par son immense amour, il est là, assis dans ce fauteuil trop moelleux, incapable de s'abandonner, et il voit aller et venir cette femme parfaite, encore jeune, aux yeux un peu trop maquillés, qui s'affaire à de menues choses inutiles pour ne pas avoir à se poser quelque part et à affronter une conversation en règle.

— Et vous êtes inscrit à la faculté de droit ?

— Non. Il me reste un an de cégep à faire.

— Ah !

— D'ailleurs, je ne me destine pas à la carrière d'avocat.

— Qu'envisagez-vous, alors ?

— Si possible, j'aimerais bien étudier en océanographie.

— Intéressant ! Mais ne faut-il pas aller hors de Montréal ?

— Je ne me suis pas encore renseigné là-dessus. Je le ferai au cours des prochains mois. Bien sûr, je dois penser d'abord à terminer le cégep.

— En effet ! Seriez-vous plus jeune qu'Odile, par hasard ?

— Non... J'ai dû interrompre mes études pendant une année.

— Vous avez une santé délicate ?

— Euh... oui, c'est cela.

Pris au dépourvu, Étienne se surprend à mentir de la plus piteuse façon qui soit et il s'en veut terriblement, d'autant plus qu'Odile assiste à son enlisement. Mais il serait trop compliqué d'expliquer à cette bonne dame parfaite, en tout point différente de la merveilleuse amie qui lui doit le jour, les méandres de son aventure scolaire. À son grand soulagement, et à celui d'Odile dont il observe les réactions du coin de l'œil, madame Louvier abandonne le sujet et s'écrie, soudain :

— Oh ! mais, Odile, ne m'as-tu pas dit que monsieur... Tourangeau, n'est-ce pas ?... — permettez-moi de vous appeler Étienne, ne soyons pas cérémonieux ! — ... que disais-je ? ah oui ! qu'Étienne voulait t'entendre jouer du piano ?... C'est vrai, vous n'avez encore jamais pu apprécier les talents de notre musicienne ? Je vais vous laisser car j'ai à faire à la cuisine et tous ces beaux airs, je l'avoue, me sont connus depuis longtemps !

— On ne sait jamais, dit Odile après son départ, s'il faut la bénir pour son tact et sa compréhension ou lui en vouloir pour ses arrière-pensées.

— Elle est bien aimable, affirme Étienne sans grande conviction.

— Et toi, tu es un formidable menteur, fait-elle en riant. Je ne te connaissais pas ce côté bourgeois.

— J'ai été un peu élevé par mon grand-père. Un médecin, ma bonne ! Allons, joue, sinon *on* va s'inquiéter.

— Ne t'en fais pas, *on* est bien heureux de nous accorder un peu d'intimité, cela fait partie des bienséances.

Elle ouvre néanmoins ses cahiers, hésite quelques instants puis lisse une page du plat de la main.

— Tiens ! Cela, c'est un peu triste, très triste même, mais c'est bouleversant et simple, et ça bouscule tout le langage musical de l'époque.

Elle attaque le *Rondo en la mineur* de Mozart. Étienne est tout de suite saisi par la mélodie à la fois ornée et d'une poignante mélancolie. Envoûté, il vient se placer derrière Odile et contemple le mouvement des doigts se déplaçant sur les notes avec une agilité et une précision qui le remplissent d'admiration. Mais dans la rencontre des mains et du clavier, au-dessus des éléments parallèles, blancs et noirs — comme si le piano alignait lui aussi des phalanges expertes —, quelque chose se passe qui nie tout l'effort du corps, transcende la masse de bois et d'ivoire, laisse le champ libre à un être sonore sans poids ni épaisseur, immatériel et pourtant plus réel que cette pièce et ces présences rapprochées. Entre Odile et Étienne, un être souffre l'infini de la souffrance humaine, et cette souffrance se souvient de toute la gaieté de l'enfance, maintenant perdue à jamais, et les sanglots contenus que suggère jusqu'au vertige le délicat chromatisme produisent un effet foudroyant de beauté, ils sont la beauté même qu'on pourrait toucher, comme un cristal. Et Étienne se souvient soudain d'un lustre que, au plafond d'une église, il a vu pleurer autrefois sa larme arc-en-ciel, aussitôt résolue en note de flamme fauve, incroyablement soutenue, comme un signe entre le ciel et lui. C'était l'ange, son or sombre et sa preuve, au-dessus des piétés. Un ange violent comme un cri.

— Aimes-tu ?

À la question d'Odile, il ne peut répondre que par un geste de la main qu'il pose en tremblant sur son épaule. Il lutte contre son envie de pleurer, de reconnaître à genoux sa joie et son admiration. Quel don opposera-t-il, lui, à ce qui lui vient de la tant-aimée ? De quel retour paiera-t-il la grâce qui lui est à pleins bras prodiguée ?

— Je t'écoute... dans mon ventre, dit-il. Tu es en moi, la musique est en moi. Quand tu joues, je vis, je m'écoute vivre.

Ses joues sont empourprées par la grande émotion que la poigne de sons a fait peser sur lui. Odile regarde son visage fiévreux, ses yeux étincelants et, transportée, entreprend de jouer les *Fantaisie chromatique et Fugue* de Bach, dont les tracés inouïs évoquent la splendeur d'un faisceau de glaives. Jamais le sublime ne s'est présenté sous un jour plus énergique que dans ce fracas de souveraines beautés, et Étienne prend douloureusement conscience de tous ces êtres idéaux, produits du génie humain, dont l'accompagnement lui a fait défaut jusqu'ici, sans même qu'il s'en doute. Certes, il connaissait l'existence de la grande musique, mais il avait toujours cru qu'elle s'adressait au public snob des salles de concert. Quel choc pour lui de la voir naître simple, vraie et nue entre deux bras adorables, par l'action de mains intelligentes, véloces, prolongeant la respiration d'un cœur large comme l'air et la mer, la terre et le feu du monde !

— Tu es extraordinaire ! s'exclame Étienne après que les derniers accords de la fugue ont retenti. Je n'ai jamais entendu de pianiste comme toi !

Odile rit et lui explique :

— Tu sais, mon professeur rirait bien si elle t'entendait ! Il me reste beaucoup de progrès à faire avant de pouvoir interpréter ces pièces avec la maîtrise voulue. Ce n'est pas tout, de jouer les notes, de respecter les indications du compositeur. Il faut aussi penser à fond par soi-même la musique, et communiquer cette pensée. Cela demande de la maturité, et une grande ouverture de la sensibilité au mystère de la beauté — celle des gens, des choses, de tout.

— Mais il y a tout cela dans ce que tu as joué. Jamais je n'ai été remué à ce point par une musique. Il est vrai que je n'ai pas eu avant aujourd'hui l'occasion d'en voir jouer de près, juste devant moi, mais je t'assure, je n'ai jamais rien entendu de si beau.

— C'est que tu découvres un monde nouveau, et je suis si heureuse, si heureuse d'être celle qui t'en apporte la révélation !

— Et moi, dit Étienne, un peu piteux, que pourrai-je te donner en retour ?

— Ton courage, répond Odile, rien que la beauté de ton courage, ta force, ton cœur qui est immense comme l'air, le bleu de l'air !

Elle le regarde, rayonnante encore des magies qu'elle a déployées, et l'amour d'Étienne bondit d'un coup vers sa grâce extrême. Il se sent prêt à affronter, pour elle, pour lui, l'avenir et à le plier à leur volonté. Sa main aux doigts carrés tremble encore sur son épaule, mais d'un tremblement doux, un frisson de la chair prête à se fondre en caresse. Odile incline sa tête de côté, prend la main de son amant au piège de sa tendresse.

À ce moment, on entend du bruit à la porte d'entrée, puis des voix indistinctes.

— Papa arrive, dit Odile en se remettant doucement à jouer.

Étienne recule un peu et attend avec une certaine appréhension l'arrivée de l'avocat. Il apparaît bientôt, suivi de son épouse. C'est un homme grand, antipathique, aux cheveux grisonnants. Son costume sombre, moiré de reflets métalliques, frappe Étienne par il ne sait quoi de hideux qui fait de cet homme un symbole vivant de la richesse. Il semble vêtu de vieil argent et on a l'impression que sa veste et ses pantalons trop larges vont bruire comme des tôles froissées. Derrière lui, sa femme porte, sur son visage et sa robe impeccable, les couleurs qui manquent au digne homme de loi.

— Papa, je te présente Étienne, mon ami.

Maître Louvier prend avec une visible répugnance la main qu'on lui tend.

— « Étienne »... Comme les jeunes d'aujourd'hui, vous n'avez qu'un prénom, si je comprends bien.

— Étienne Tourangeau, monsieur... maître, pardon !

— Oh ! vous pouvez bien dire « monsieur ». Les titres, n'est-ce pas, sont passés de mode, avec le reste... Avant que nous allions plus loin, parce que j'aime les situations claires, je dois vous dire que j'ai rencontré aujourd'hui mon vieil ami, Maître Lamothe, qui connaît bien la charmante ville que vous habitez puisqu'il l'habite aussi. Il est même le voisin d'un de vos concitoyens les plus respectables et respectés... monsieur Garon. Vous connaissez, n'est-ce pas ? Il occupe le poste de conseiller municipal.

Étienne subit sans broncher cette entrée en matière qui équivaut, sans l'ombre d'un doute, à un coup de massue du destin.

— Je connais monsieur Garon, répond-il. Il n'y a pas deux semaines, il est venu proférer à l'endroit de ma mère des menaces et des insultes indignes d'un honnête homme.

— Un honnête homme ! Savez-vous même ce que c'est ? Vous le prenez de bien haut, mon jeune monsieur ! Malheureusement pour vous, je suis au courant de cette affaire. J'ignore les motifs de monsieur Garon, mais son excellente réputation m'incline à croire qu'ils ne manquaient pas de fondement. Et puisque nous parlons de réputation, j'ai aussi entendu parler d'une certaine famille qui vit dans une grande maison bleue, au bord de l'eau. Une maison très célèbre et, paraît-il, fréquentée par un certain nombre de personnes... D'après ce que mon excellent ami, Maître Lamothe, m'a laissé entendre quand je lui ai dit que ma fille sortait avec un dénommé Étienne Tourangeau, il n'y a peut-être pas lieu de pavoiser !

— Papa ! intervient Odile, que cet échange de paroles consterne, ce n'est pas un procès, ici. Je te prie de cesser tout de suite ces insinuations malveillantes.

— Quelles insinuations ? Je rapporte seulement ce qu'on m'a dit, et si je le fais, ma fille, c'est parce que j'ai à cœur de te protéger contre les mauvaises rencontres qui pourraient t'entraîner Dieu sait où.

— Je suis assez grande pour juger par moi-même, et je suis sûre qu'il n'y a rien de vrai dans ce qu'on peut raconter... Je connais, moi, cette maison et ceux qui l'habitent, et je peux te dire...

— Tais-toi ! Tu es dans l'ignorance totale des faits, sinon tu n'aurais jamais seulement adressé la parole à un membre de la célèbre famille Tourangeau. Pour tout le monde, cette famille représente la pauvreté crasseuse, satisfaite et le laisser-aller, physique comme moral, bref, le parasitisme social le plus abject ! Lucie Tourangeau, la mère...

— C'est assez ! Je ne vais pas te laisser cracher plus longtemps sur la famille de l'homme que j'aime.

— L'homme que tu aimes ! Sais-tu seulement ce que c'est que l'amour ? Les jeunes sont bien tous pareils ! Au premier transport de passion, ça se croit justifié de commettre toutes les bêtises, d'oublier tout ce qu'ils ont appris. Franchement, Odile, tu me déçois. Je te croyais différente des autres, et capable de raisonner un peu mieux. Jusqu'ici, tu t'es comportée en fille intelligente, tu t'es préoccupée de ton avenir, tu nous as fait honneur, tu pensais même embrasser une carrière respectable et, tout d'un coup, pfuit ! c'est fini ! Mademoiselle est amoureuse.

Amoureuse de qui ? De quelqu'un qui va l'aider à réaliser ses aspirations, à continuer de faire belle figure dans la société ? Eh non ! Un vaurien, je te le dis, dont la mère est à moitié sauvagesse et dont le père, qui a déserté le foyer depuis belle lurette, appartient à la pire race de bohèmes ! Quand j'ai appris ça, j'ai failli faire une crise cardiaque !

— C'est bien ce que tu aurais dû faire, réplique Odile, hors d'elle. Oui, j'aime Étienne, il représente pour moi plus que tout au monde, et il est mon amant, si vous voulez savoir. Et il vous vaut mille fois, maman et toi, avec votre respectabilité hypocrite !

— Toi, la maîtresse de cette ordure ! Un fainéant qui n'a pas terminé son cégep et qui n'a pas même le cœur de travailler !

Odile prend la main d'Étienne et l'entraîne en disant, d'une voix brève et définitive :

— Adieu ! Vous ne me reverrez plus jamais !

— Ce n'est pas toi qui nous quittes, petite folle, c'est moi qui te chasse, comprends-tu ? Je te chasse ! Je ne veux plus que tu remettes les pieds ici ! Va te faire héberger chez la folle à Tourangeau, c'est ainsi qu'on l'appelle. Retiens bien ça : la folle à Tourangeau !

Abasourdi, Étienne se laisse entraîner dans un espace de fureur et de catastrophe où plus rien, et pas même son Odile qu'il a toujours connue si joyeuse et si confiante, ne ressemble à ce qu'il avait espéré.

26

— Tout s'est passé si vite! Tu ne crains pas de regretter ton acte?

— Il y a longtemps que j'aurais dû les quitter. Mon père est un affreux bourgeois, qui doit son aisance à des magouilles légales, comme tous les avocats, et qui cherche à les oublier en se conformant à un code moral rigide. Il va à la messe tous les dimanches, imagine, ce qui lui a valu la réputation d'homme intègre et aussi, je suppose, de bonnes causes à défendre. Les catholiques se protègent entre eux, surtout dans un quartier comme le nôtre, qui fonctionne encore comme un village. J'ai toujours eu horreur de cette vie double: une conscience impitoyable pour les affaires, et puis l'autre, bien proprette, pour la famille. À force de mauvaise humeur, il parvient à se convaincre lui-même de son bon droit. Dans le fond, il fait pitié!

— Et ta mère, tu ne t'ennuieras pas d'elle?

— Elle est son âme damnée. Quand il est là, elle s'efface complètement. Je ne crois pas, de toute façon, qu'elle m'ait jamais beaucoup aimée. Non... Une seule chose, je suppose, va me manquer...

— Ton piano ?

Il voit son regard s'embuer, preuve qu'il a visé juste, mais un sourire chasse vite la tristesse.

— Et puis non, dit-elle, tu vaux plus que tout ce que je laisse derrière moi, même Mozart et Bach !

— Je te promets de me trouver bientôt du travail et nous aurons notre logement à nous, à Montréal, avec un piano, et tu reprendras tes leçons.

— Mes leçons... Pauvre madame Marin ! Elle me les donnerait bien gratuitement, si elle savait, mais elle a si peu d'argent pour vivre !

— Dans un mois, nous pourrons nous installer. C'est impossible qu'une bonne occasion ne se présente pas pour moi.

— Et tes études ? Ton cégep à terminer ? Tes projets d'avenir ?

— Nous verrons en temps et lieu. Pour l'instant, il faut nous procurer des moyens de subsistance.

— Je travaillerai, moi. Je suis prête à faire ce qu'il faut. Serveuse de restaurant, par exemple. Les pourboires sont intéressants. Si nous vivons de façon économe, tu pourras même faire tes études.

— Je ne veux pas que tu te sacrifies pour moi.

Il la contemple. Sur son visage, il lit le sérieux et la légère tristesse qui suivent les prises de décision irrévocables, mais aussi l'absence totale d'angoisse à l'idée de s'être arrachée d'un coup à son passé. La lumière découpe net sa figure sur fond des grands feuillages d'été que la brise du soir balance mollement. Ils ont marché longuement depuis la maison de malheur, main dans la main, en respirant leur exil et en supputant leurs chances, dans ce monde créé pour les adultes et les opportunistes. Le beau temps et le calme ambiant, à peine troublé par l'indistincte rumeur des télévisions, endorment les mauvais présages et leur inspirent confiance en l'avenir.

Leurs pas les ont rapprochés de leur île, qu'ils aperçoivent maintenant et qui représente le lieu béni de leur union, celui qui a consacré à jamais l'un à l'autre leurs corps dans la joie donnée et reçue, les a faits semblables aux dieux. En arrêt devant la masse frémissante des verdures, d'où provient le chant pur et désolé d'un merle, ils éprouvent la morsure du souvenir et, sans un mot, décident de regagner le palais de fougères et la molle couche d'humus et de feuilles séchées où ils ont eu la révélation de leurs beautés. Odile n'hésite pas, cette fois, à s'engager dans le faible courant qui ourle de feu les pierres à moitié immergées. Elle avance avec tant d'assurance qu'Étienne, en la soutenant, risque de gêner ses mouvements et il la laisse partir devant lui. Rendue sur l'île, elle prend sa course en riant et il se lance à sa poursuite, l'atteint juste au moment où elle se laisse choir sur leur couche, la dévore de baisers.

Quand ils se relèvent, recrus d'amour et forcés de s'avouer leur faim, le soleil n'est plus qu'un amas de braises à l'horizon et ils décident de rentrer le plus vite possible aux Épervières. À cause d'Odile, il n'est pas question de traverser à pied le pont des trains, et la perspective de payer des billets, au moment où la jeune fille se voit couper les vivres, ne leur sourit pas. Il vaut mieux faire le grand détour par le pont de Saint-Eustache, quelques kilomètres plus loin.

— Marchons jusqu'à la grand-route, propose Étienne, puis nous ferons de l'auto-stop.

Il l'enlace de son bras gauche et elle appuie sur lui sa tête lasse, où un faible sourire revient poindre dans les intervalles de la songerie. De temps en temps, il s'arrête et pose ses lèvres sur le visage pâli par une douce torpeur.

— Tu verras, mon amour, tout va s'arranger, murmure-t-il pour conjurer les pensées d'ombre.

— Avec toi, je n'ai peur de rien.

Et une larme se forme au coin de sa paupière, qu'elle écrase comme un reste d'enfance imbécile.

Une fois sur la grand-route, ils sollicitent en vain la complaisance des automobilistes. De guerre lasse, ils se préparent à poursuivre leur marche quand ils voient venir une antique voiture au pare-chocs brinquebalant sous le capot fripé. Elle s'arrête à leur hauteur et une voix narquoise les apostrophe :

— Si madame et monsieur veulent bien monter à bord, ils feront un voyage, comme on dit, de tout repos, pour ne pas parler de repos éternel !

— Gervais ? ! s'exclame Étienne, éberlué.

— En personne, pour vous servir. Tenez, montez à côté de moi, l'arrière n'est pas des plus propres ! Ce maudit Denis est vraiment tout un cochon, quand il s'y met. Salut, Odile. Je t'embrasse.

Il lui plante cavalièrement un baiser sur la bouche et elle se recule un peu.

— Je pue la bière, commente-t-il.

— En effet, dit Étienne, tu sens jusqu'ici. C'est donc ça, la vieille Durand avec laquelle tu fais des malheurs ? Je pensais qu'elle était complètement démolie.

— Les voitures de cette époque-là, mon cher, c'était du solide.

Il démarre dans un cri d'essieu outragé et déchaîne trois klaxons derrière lui, auxquels il dédie un geste obscène de la main.

— Tu te promènes sans permis ? fait remarquer Étienne au bout d'un moment.

— C'est l'évidence même, vu que je n'en ai pas.

— Cela pourrait te coûter cher.

— Je n'ai pas un cent non plus.

— Et ta nuit au poste ? Tu aimerais recommencer ?

Gervais rit bassement.

— À la longue, dit-il, j'y prendrais peut-être goût.

Odile, à côté de lui, baisse les yeux et fait celle qui n'entend pas. Il rit encore, et demande :

— Vous n'êtes pas contents de vous déplacer en limousine ? Vous étiez à quatre bons kilomètres de chez nous.

— Et que faisais-tu, de ce côté du pont ?

— J'aime tes méthodes d'interrogation. Elles sont directes. Tu ferais un bon inspecteur, frérot !

— Je te demande ça pour faire la conversation, c'est tout. Ne réponds pas, je m'en fiche.

— Non, je te réponds, et la vérité vraie, à part ça. Je voulais, d'une part, faire prendre l'air à ma belle mécanique du troisième âge — pardon, du quatrième ; l'immobilité, dans son cas, c'est la rouille assurée. Et puis, je voulais depuis longtemps comparer la bière locale avec celle d'une taverne réputée sur la route de Fabreville. Voilà. Tu sais tout. Toi aussi, Odile. Je vous ai ouvert mon âme et, comme vous avez pu le voir, elle est claire comme un bocal de poissons rouges.

— Dont on vient de changer l'eau, suggère Odile, peu accoutumée à avec cette forme d'humour.

— Très juste ! Il n'y a rien comme un tour de voiture pour changer d'eau, ou d'air, comme on voudra. Et puis, ajoute-t-il comme en passant, je ne voulais pas voir ça, quand *ils* se mettraient à se peloter…

— Dis donc, intervient Étienne avec sévérité, tu tiens vraiment à nous raconter des saletés ?

— Oh ! excusez-moi. J'ai oublié que nous avions une dame avec nous. Excuse-moi, Odile.

— Qu'est-ce que c'est que cette histoire que tu racontes ? reprend Étienne après un moment.

— Eh bien ! tu verras par toi-même, si le bel oiseau ne s'est pas envolé. Moi, j'ai dit assez de saletés comme ça.

Pendant le reste du trajet, Étienne est de plus en plus soucieux. À l'attitude crispée d'Odile, il comprend qu'elle est envahie par le souvenir de la scène avec son père et qu'elle découvre une à une les conséquences de son départ. Puis il se demande quelle réception Lucie ménagera à la jeune fille en fuite. Introduire Odile dans la maison bleue ne pourra se faire sans dérangement, car Étienne et elle vivront comme mari et femme et délogeront nécessairement Lucie de la chambre au grand lit. À moins qu'ils ne s'installent dans la véranda, en attendant de trouver une solution... Mais de quoi parlait donc Gervais à l'instant ? Lucie aurait-elle jeté son dévolu sur un nouvel amant ? Dans les dispositions où elle se trouve depuis quelques jours, elle est bien capable de contracter une de ces liaisons stratégiques destinées à lui éviter des déboires, comme cette prodigieuse passade avec le curé dont Fernand a été témoin.

Étienne aimerait obtenir plus de renseignements, mais n'ose pas revenir à la charge. Gervais, sûrement vexé par la remontrance, ne lâchera pas un mot de plus sur le sujet.

Quand ils arrivent, Gervais ne peut cacher son ébahissement :

— Tu reconnais la voiture qui est là ? dit-il à Étienne d'une drôle de voix aiguë.

— Celle de Garon ! Que fait-il ici ?

— Quand je suis parti, il y a deux heures, il arrivait tout juste. Je n'ai pas trop bien entendu le chapelet de bêtises qu'il s'est mis à débiter, mais il était bien question, encore une fois, d'expulsion. D'ailleurs, maintenant que nous avons rafistolé la propriété, il devient très avantageux pour la municipalité de la saisir et de la revendre.

— Tu as pensé à ça tout seul ?

— Non, je ne suis pas assez intelligent. C'est Lucie qui m'en a parlé. Elle croit que notre meilleure sauvegarde, comme elle dit, c'était le délabrement de la maison. Quand elle l'a vue remise à neuf, elle a tout de suite pensé que nous allions la perdre. Heureusement...

— Quoi ?

— Heureusement, elle a d'autres ressources.

Gervais se tait. Ils sont tous les trois, dans la voiture arrêtée, à se débattre avec leurs réflexions. Étienne finit par briser le silence :

— Que veux-tu dire ?

— Si elle est restée deux heures avec Garon, de deux choses l'une : ou bien elle l'a tué, ce qui n'est ni dans son caractère ni dans son intérêt ; ou bien elle lui a fait le coup du curé...

— Qu'est-ce que...

Soudain Gervais étire le bras, agrippe nerveusement Étienne sans faire attention à Odile entre eux.

— Tiens, regarde ! Ils sortent ensemble, les vois-tu ? Le gros salaud ! Elle le tient par le bras, tendrement... Tiens ! tiens ! Il l'embrasse, le gros cochon. Voyez-vous ça ?

Gervais est comme fasciné par une apparition. Il met soudain le moteur en marche, allume les phares et, sans que les autres aient le temps d'intervenir, il lance la voiture à fond de train sur le terrain en pente, dévale en direction du couple grotesque qui se met à courir de façon désordonnée. La voiture rate de justesse le conseiller, mais frappe de plein fouet Lucie qui reste absurdement écrasée sur le capot. Étienne lutte contre Gervais par-dessus Odile, cherche de la main à mettre les freins, mais les roues glissent sur l'herbe fraîche du talus.

27

Dans la chambre d'hôpital, isolé des lits voisins par un rideau, Étienne ne vit pas, il survit, infiniment loin de lui-même. À tout instant il se sent de nouveau basculer, tout bascule avec lui, tout tombe, il n'y a plus que la grande, l'interminable secousse, le choc des corps, pas un cri. C'est un moment entre le soir et l'infini, un moment dans le soir soudainement déchiré, ouvert. Et puis le fracas et l'écrasement de tout, et puis la bouche de l'eau qui happe, qui avale. Il perd connaissance, revient ensuite à lui en suffoquant ; ils sont là dans l'eau qui flottent, Lucie éventrée devant lui, embrochée par un ornement du capot ; Odile, les yeux fixes, le front rayé d'une large blessure. Il veut ouvrir la portière, se tirer de là avec Odile, mais son pied droit est cassé. Il ne ressent pas la douleur, il a seulement du mal à se mouvoir. Il réussit tout de même à se dégager avec Odile, à la tirer hors de la voiture qui, allégée, dérive vers le large. Il nage tant bien que mal vers le bord et, à bout de forces, confie son précieux fardeau aux premiers témoins qui viennent d'accourir. Puis il sombre, il sombre. Il se réveille ici. Il ne se réveille pas. Le cauchemar est là, autour de lui. Tout continue la catastrophe. Ils sont morts, Lucie, Gervais, Odile. C'est le curé qui le lui a appris, le curé qui est venu ici avec des paroles pleines de bon Dieu et de vie éternelle, mais des yeux qui criaient. Ils sont morts, et lui aussi, Étienne, est mort, seulement il assiste au monde, à la vie. Car après la mort, le monde, la vie existent encore. Il les regarde. Il regarde aussi son pied de pierre blanche, au-dessus de son corps, suspendu à un appareil grotesque, compliqué. Un pied qui survit, au-dessus de son corps.

Le temps est un seul grand malheur.

Il aurait voulu vivre, il avait grandi comme grandit un enfant, malgré le mauvais air des choses. Il avait poussé entre les pattes de Lucie, la grande, aux caresses insinuantes, aux mots sonores et un peu confus, entourée d'enfants comme d'une troupe de revanches sur sa propre enfance solitaire. Il avait joué à grandir, à espérer, puis, il n'y a pas longtemps, il a découvert le plus grand, le plus beau des jeux, qui se joue à deux et vise pourtant à ne faire qu'un, à se perdre dans ce qu'on n'est pas, ce qui est autre, ce qui est elle. La femme. Odile... Il y avait Lucie, il y a Odile, et l'une et l'autre n'existent pas, sont des mensonges de la vie menteuse, il est seul contre la vie, contre Odile, contre Lucie. Il est seul contre lui-même, à espérer que le cauchemar cesse, tombe, que le jour se casse, que la grande mort vienne et le boive, comme elle a bu la voiture de malheur. La voiture, elle a dérivé doucement jusqu'au-dessus du gouffre et, là, elle s'est enfoncée, est allée se déposer tout au creux, parmi les sommiers, les matelas, les vieux réfrigérateurs, au milieu des salons et des chambres de la rivière. C'est là, tout au fond, qu'on est allé repêcher Lucie déchirée et Gervais dont les yeux, dans la mort, étincelaient encore.

Le gouffre. Il y fait complètement noir, à vingt-cinq mètres de profondeur. Vingt-cinq mètres d'eau sombre, épaissie par les pollutions. Et c'est là, parmi les débris, les déchets tombés des maisons, le dépôt des rêves crevés, qu'Étienne veut descendre, une fois qu'on l'aura remis sur pied et lâché de nouveau dans la vie. C'est là qu'il veut aller serrer dans ses bras la femme fraîche, la femme fleur, Odile perdue pour cette vie ; et pressant sa bouche contre ses lèvres, c'est là qu'il veut tenir aussi, du même coup, la grande sale mère bénie, celle qui depuis la toute première enfance l'a baigné de mots pleins de fièvre et d'absurde bonheur, et d'un amour démesuré, qu'elle prodiguait à tous comme une folle. Dans le corps de son amie, de son amante, il possédera la grande Mort sauvage, maternelle, qui rit et saigne, qui salit, qui condamne ses fils à une toute petite existence ratée, sans avenir. Une existence semblable au minable destin de son peuple cassé, botte d'épervières pilées, déchirées, boue verte. Sempiternellement minables Mohawks. Tas de chimères, signées Lucie. Un peuple éteint.

Un banc de marginaux et de rêveurs.

Cet ouvrage
composé en Palatino corps 12 sur 16
a été achevé d'imprimer
en novembre mil neuf cent quatre-vingt-seize
sur les presses de

«L'IMPRIMEUR»

Cap-Saint-Ignace (Québec).